Para Julie,

con afecto y

agradecimiento.–

Ana M.

—

Dec. '99.

Cambridge

Carlos Martínez Sarasola

◆

LOS HIJOS DE LA TIERRA

DEL MISMO AUTOR
por nuestro sello editorial

◆

NUESTROS PAISANOS LOS INDIOS

Carlos Martínez Sarasola

◆

Los hijos de la tierra

Historia de los indígenas argentinos

EMECÉ EDITORES

860-93 Martínez Sarasola, Carlos
MAR Los hijos de la Tierra, historia de los indígenas argentinos.
- 1a ed. - Buenos Aires : Emecé, 1998.
240 p. ; 20x13 cm. - (Emecé Juvenil)

ISBN 950-04-1954-8

I. Título - 1. Narrativa Argentina

Diseño de tapa: *Eduardo Ruiz*
En la tapa: *Julio Daufresne, Familia de indios,* litografía coloreada del álbum *Usos y Costumbres de Buenos Aires, 1844.*
Fotocromía de tapa: *Moon Patrol S.R.L.*

Alsina 2062 - Buenos Aires, Argentina
Primera edición: 5.000 ejemplares
Impreso en Printing Books,
Carhué 856, Temperley, diciembre de 1998

E-mail: editorial@emece.com.ar
http: // www.emece.com.ar

IMPRESO EN LA ARGENTINA / PRINTED IN ARGENTINA
Queda hecho el depósito que previene la ley 11.723
I.S.B.N.: 950-04-1954-8
33.060

Nota del editor

En 1992, justamente cuando se recordaba el quinto centenario de la llegada de Colón a América, apareció con nuestro sello el libro *Nuestros paisanos los indios*, de Carlos Martínez Sarasola. En 660 páginas, que incluían 48 mapas, 24 gráficos y fotografías, el autor desarrollaba la larga historia de las comunidades aborígenes argentinas, desde los primeros asentamientos prehistóricos hasta la actualidad.

El éxito del libro fue inmediato, tanto de crítica como de público, porque llenaba un verdadero vacío en la bibliografía argentina. Cinco ediciones se han sucedido hasta hoy como prueba del interés sostenido que el tema genera. Es evidente, sin embargo, que no pocos lectores potenciales pueden desalentarse frente a un libro tan extenso.

Los hijos de la tierra quiere ser un compendio ágil y ameno de aquella primera gran síntesis de la historia de los indígenas en nuestro país. Dirigido a grandes y chicos, y realizado con la colaboración inestimable de César Aira, se propone difundir el tema ante el más amplio público posible. La edición ha sido auspiciada por la Fundación Desde América.

Buenos Aires, diciembre de 1998

INTRODUCCIÓN

¿QUIÉNES SOMOS LOS ARGENTINOS?

Una sociedad que cambia

Cuando los argentinos nos preguntamos quiénes somos, muchas veces olvidamos parte de nuestra historia. Siempre tenemos presente la gran inmigración de las últimas décadas del siglo XIX y las primeras del XX, ese aluvión de europeos del que desciende gran parte de la actual población del país. Pero solemos olvidar que antes de la llegada de los inmigrantes la Argentina tenía una raíz hispano-indígena, formada cuando los conquistadores españoles se encontraron con las comunidades indígenas. Y antes de que llegaran los españoles, desde muchísimo antes, nuestro territorio estuvo poblado por sus habitantes originales, los indios. Este es un dato que muy pocas veces se tiene en cuenta: cuando llegaron los españoles, nuestros indios hacía más de diez mil años que estaban viviendo aquí.

En el siglo XVI, los indígenas se enfrentaron al conquistador español. Muchos de ellos se transformaron en una *cultura de resistencia*, y siguieron viviendo libres en sus territorios durante siglos, pero muchos otros iniciaron el proceso del *mestizaje*, unión de europeos y americanos de la que surgió la primera formación cultural de nuestra sociedad, en general ocultada, cuando no negada. Al final de aquel período se sumó el componente africano, que tuvo importancia hasta fines del siglo XIX, para desaparecer después.

Ya en el siglo XX, los inmigrantes se fusionaron con la población criolla y echaron raíces en este suelo. Las migraciones internas de las décadas de 1940 y 1950 pusieron en contacto a la gente del interior (indígenas o mestizos) con la de las grandes ciudades (criollos y de origen inmigrante) a las que se suman los migrantes de los países limítrofes —muchos también de origen indígena—, las comunidades aborígenes y las colonias de extranjeros afincadas en distintos puntos del país. El desafío es tomar conciencia de pertenecer a una comunidad nueva que es la Argentina.

La sociedad argentina y los indígenas

Si bien los indígenas en la Argentina no son tan numerosos como en otros países, constituyen de todas maneras un sector importante de nuestra sociedad, que ha participado en momentos decisivos de la vida nacional. En nuestros días, las comunidades indígenas argentinas son parte integrante de nuestra cultura y en cuanto tal deben ser recuperadas, valoradas y respetadas.

En la Argentina viven hoy cerca de *medio millón* de indígenas, la mayoría de ellos en condiciones de extrema marginalidad. Devorados por enfermedades, sin educación, sin las más elementales posibilidades de desarrollo, superan el desamparo por propia iniciativa (a través de organizaciones comunitarias y/o asociaciones a nivel nacional) y algún apoyo de instituciones del Estado o privadas. Pero están solos, y la sociedad todavía no acierta a coordinar los esfuerzos en su favor.

Recuperar lo que somos

Los argentinos tenemos que reconocer y asumir nuestra parte negada americana, que hemos venido ocultando durante tanto tiempo. Cuando lo hagamos, podremos aceptar las diferencias y entender que somos una síntesis de Europa y América.

Allí encontraremos una respuesta a la pregunta por nuestra identidad: somos una sociedad con gente diferente, una sociedad que se está construyendo, trabajo en el que todos tenemos que poner una parte.

Este libro bucea en la identidad de los argentinos, a partir de las comunidades indígenas. Es un camino difícil, muchas veces lleno de violencia y crueldad pero necesario de ver y no olvidar.

He querido rescatar su historia desde el origen, para contribuir a darle un lugar en la memoria colectiva y en la vida de todos los días.

PRIMERA PARTE

LAS CULTURAS ORIGINARIAS

CAPÍTULO I

LOS ANTIGUOS

LA LLEGADA DEL HOMBRE A AMÉRICA

Por lo que sabemos hoy, la especie humana se originó hace unos *tres millones de años* en algún lugar de África, y desde ahí fue poblando el planeta. Unos *30.000 años atrás,* el continente americano no tenía población humana alguna. Fue en ese momento cuando los primeros grupos de cazadores, posiblemente persiguiendo a sus presas, cruzaron desde Asia por el estrecho de Bering, que entonces estaba congelado, y dieron comienzo a la gran aventura del poblamiento de América.

El territorio que hoy ocupa la República Argentina empezó a ocuparse hace unos *12.000 años,* y se lo habitó prácticamente en todas las regiones. En la Patagonia se han encontrado vestigios de alrededor de 11.000 años de antigüedad; en el extremo sur, de hace 6.000 años; en el Noroeste el poblamiento más antiguo registra una fecha de 8.000 años (cultura Ayampitín y gruta de Inti Huasi en las Sierras Centrales); el Nordeste fue ocupado probablemente hace más de 7.000 años. Es posible que nuevos hallazgos arqueológicos lleven estas fechas más atrás en el tiempo, pero hoy podemos decir que hace 12.000 años por lo menos que el actual territorio argentino estuvo habitado, y en él se desarrollaron las formas culturales que encontraron los conquistadores españoles en el siglo XVI. Muchos de los descendientes actuales de aquellos primeros pobladores los llaman respetuosamente "los antiguos".

Breve historia de las culturas originarias

Es difícil reconstruir la historia desde estos primeros grupos de cazadores hasta las comunidades que encontraron los españoles, porque falta hacer estudios arqueológicos en muchas zonas de nuestro país; porque innumerables yacimientos han sido saqueados, con lo que se perdió para siempre la posibilidad de rescatar sus patrimonios culturales; y porque la conquista española destruyó muchos de los testimonios de las comunidades originarias.

Los hombres de la Montaña

Los más antiguos indicios de la presencia del hombre en zonas montañosas de nuestro país los encontramos en los sitios de Ayampitín, en Córdoba, e Inti Huasi en San Luis (Sierras Centrales); este último se remonta a unos 8.000 años atrás. En Catamarca (Noroeste) se registra un sitio al parecer más antiguo en Ampajango. Descubrimientos recientes como el de Huachichocana y el de Inca Cueva, en Jujuy, llevan las fechas más atrás todavía, hasta los 9.200 años, y aquí se han encontrado indicios de agricultura. En la Puna hace 6.000 años ya existían grupos humanos asentados al borde de las lagunas que hoy son salares.

Los arqueólogos coinciden en establecer tres períodos para la evolución de esta región: el temprano o formativo; el medio y el tardío o de desarrollos regionales.

El período temprano o formativo: los primeros asentamientos

La cultura más antigua en la zona de los Valles Calchaquíes es la de Tafí (Tucumán) con 2.500 años de antigüedad. La cerámica era muy tosca, y son característicos los menhires o esculturas de piedra con representaciones de felinos, además de pipas de piedra y cerámica. La organización social se basaba en las familias extensas.

La cultura de la Candelaria, en el este y sur de Salta y el norte de Tucumán, se caracteriza por la presencia de *urnas para párvulos* (niños) y adultos, de colores rojo y negro.

Otra cultura importante del período fue la Ciénaga, en Catamarca, La Rioja, San Juan y parte de la Puna, con una antigüedad de 1.600 años. Criaban llamas y tenían obras de riego para su cultivo predilecto: el maíz. Se han encontrado pipas para fumar y cementerios de párvulos en urnas, algunos con la presencia de casi dos centenares de ellas, lo que tal vez indica la práctica de sacrificios humanos.

Contemporánea a la Ciénaga se desarrolla la cultura de Condorhuasi, la más perjudicada por los buscadores de tesoros arqueológicos, con una original cerámica de formas globulares; fueron también artesanos en piedra y pastores de llamas.

El período medio: entre felinos y cráneos trofeos

El período medio, entre los años 650 y 800, es el de máximo florecimiento de estas culturas y su mayor exponente es la cultura de *la Aguada*, que tuvo origen en Catamarca y se extendió por San Juan y La Rioja.

Los hombres de Aguada fueron grandes cultivadores de maíz y ceramistas de diseños complejos, con figuras humanas y de felinos; sabemos que una cerámica es de la Aguada cuando vemos al "sacrificador", un personaje con un hacha en una mano y la cabeza del sacrificado en la otra. Asociado a esta expresión artística aparece *el culto del cráneo-trofeo*, lo cual parece sugerir que realizaban sacrificios humanos. Trabajaron el metal, especialmente el bronce, con el que confeccionaban pectorales y hachas ceremoniales.

En cuanto al *felino,* su presencia en las cerámicas o trabajos de bronce es constante y obsesiva. Pero no es exclusiva de esta cultura: se la encuentra en toda América a lo largo de los Andes.

El período tardío o de desarrollos regionales: las grandes ciudades

Este tercer período se caracteriza por la presencia de grandes ciudades, con calles y lugares diferenciados para el culto, los cultivos y la recreación. Dentro del período hay tres etapas: Sanagasta, Belén y Santa María. Fueron el antecedente directo de las comunidades diaguitas que encontraron los españoles.

Los hombres de *Sanagasta*, Aimogasta o Angualasto ocuparon La Rioja y San Juan cultivando el suelo, recolectando frutos de la tierra y almacenando los excedentes en silos. Fueron criadores de llamas y utilizaron plantas que producían visiones en las ceremonias y rituales sagrados.

La cultura *Belén* tuvo su centro en Catamarca y se extendió a La Rioja. Practicaron la agricultura en grandes andenes o terrazas escalonadas. Aquí la cerámica tuvo mayor importancia, sobre todo en las urnas. Son notables también algunas piezas de metal en forma de discos, que quizás se usaron como escudos defensivos. En las viviendas hubo tres formas sucesivas: primero, grandes casas comunales para varias familias; luego, las habitaciones aisladas; y finalmente, habitaciones aisladas pero agrupadas en sitios estratégicos. Es pro-

Huellas humanas prehistóricas (5.000 años a.C.). Monte Hermoso, Provincia de Buenos Aires. Foto de Politis / Bayón.

bable que la cultura Belén constituya la base del núcleo principal de los diaguitas.

En cuanto a la cultura *Santa María* se asienta hacia el año 1.000 en Tucumán, Salta y Catamarca. Fueron agricultores intensivos, con grandes obras de riego que incluyen represas y andenes de cultivo. Emplazaron las ciudades en sitios estratégicos.

Excelentes alfareros, elaboraron urnas de gran belleza que han hecho famoso hoy en el mundo entero el *estilo santamariano*.

Su metalurgia alcanzó notable desarrollo, especialmente en escudos y hachas ceremoniales. Tuvieron un intenso comercio con la Puna (elementos encontrados: flautas de pan y tabletas para plantas de uso ritual).

Las Sierras Centrales, estuvieron habitadas desde hace unos 8.000 años. Hacia el año 500 hacen su aparición poblaciones con agricultura y alfarería, base de los comechingones y sanavirones del siglo XVI. Los sitios principales son Dique de los Molinos y Villa Rumipal, con la presencia de casas-pozo y obras de riego para los cultivos de maíz. También fueron cazadores y recolectores.

Entre ellos casi no existió la metalurgia y se registra el entierro de los difuntos en los pisos de las habitaciones, típico de los primeros cultivadores.

Los hombres de la Llanura

Para la región *Pampa y Patagonia*, encontramos que la población más antigua en la provincia de Buenos Aires data de hace ocho mil años.

En la Patagonia, a los restos hallados en las márgenes del río Neuquén se les calcula una antigüedad de 10.000 años.

En Santa Cruz, el hallazgo de algunos elementos como puntas de flecha, artefactos más especializados, y el arte rupestre (pintura en cuevas), permite fechar la llegada de los cazadores hace unos 8.000 años. Mil años después empiezan a aparecer nuevas culturas.

Investigaciones recientes en el sitio de Piedra Museo harían pensar en un poblamiento de al menos 13.000 años.

Las primeras huellas arqueológicas de los tehuelches se encuentran en Santa Cruz, Chubut, y Río Negro, con una antigüedad de 5.000 años y en Buenos Aires, la Pampa y Río Negro hace unos 4.000 años. Entre otros elementos característicos de los cazadores, se han encontrado puntas de flecha con pedúnculo para atarlas, cuchillos y raspadores

Respecto de la región *Chaco*, contamos con poquísimos datos. Sabemos que el poblamiento se produjo a

Cueva de las Manos, Cañadón del Río Pinturas, Santa Cruz. Las pinturas de negativos de manos se asocian con las primeras ocupaciones humanas de la cueva, fechadas entre 7.350 y 5.330 años antes de Cristo. Foto del autor.

partir del año 5.000 cuando las aguas que inundaban el territorio comenzaron a desaparecer

Los hombres del Litoral y la Mesopotamia

Por razones similares a lo que ocurre con el Chaco —escasa investigación arqueológica y pobreza de las fuentes— la historia de esta región nos es desconocida.

En Misiones es posible registrar una antigüedad estimada en 6.000 años. El hallazgo de "hachas de mano", probablemente usadadas para desenterrar raíces indica la presencia de cultivadores tempranos en la región.

Restos semejantes se han hallado en culturas de primitivos agricultores del sur del Brasil, zona de contacto con nuestro Litoral y Mesopotamia.

Los hombres del Extremo Sur: los Canales Fueguinos

La zona de Tierra del Fuego se pobló más tarde que el resto de Patagonia porque permaneció cubierta por los hielos durante más tiempo.

Se supone que los primeros hombres llegaron al lugar hace unos 6.000 años. Sabemos de la existencia de por lo menos dos culturas antecesoras de los históricos yámana-alakaluf: en primer lugar la cultura de la Casa-pozo, que debe su nombre a las viviendas circulares semienterradas; recolectaban moluscos, y excepcionalmente cazaban mamíferos marinos; son característicos los "concheros", acumulación de valvas de moluscos alrededor de las viviendas. De época más tardía son las puntas de proyectil, señal del inicio sistematizado de la caza de mamíferos marinos y de especies terrestres. Esta cultura fue la base de los yámanas del sector argentino. Los alakaluf del lado chileno tienen su origen en la otra cultura de este período, la llamada del Cuchillo de Concha.

Ambas culturas utilizaron como elementos esenciales el bote y los arpones para sus excursiones marinas, práctica que continuaron más adelante, cuando los grupos familiares yámana-alakaluf desarrollaron en el mar, sobre frágiles embarcaciones, gran parte de su vida cotidiana.

CAPÍTULO II

LAS COMUNIDADES QUE OCUPABAN NUESTRO TERRITORIO EN EL SIGLO XVI

El territorio argentino se integra físicamente a la porción sur del continente americano a través de dos regiones: la Montaña y la Llanura. Asimismo nuestro país cuenta con otros paisajes "de transición" que son el Litoral Mesopotámico y el Extremo Sur. En esas regiones las comunidades originarias desplegaron su vida.

LA MONTAÑA

El Noroeste

Diaguitas

Eran las comunidades que ocupaban el corazón del Noroeste: los Valles y Quebradas. También se los llamó calchaquíes, nombre que dieron las primeras crónicas a los habitantes de la región del mismo nombre y por extensión a las restantes comunidades del área. En realidad los "calchaquíes" eran diaguitas, cultura que estaba formada por un conjunto de grupos diferentes, como los pulares, luracataos, chicoanas, tolombones, yocaviles, quilmes, tafís, hualfines, entre muchos otros.

Todos estos grupos tenían un elemento común: su lengua, que era el *cacán*. Pero la lengua no era el único factor de unidad: la organización social y económica, la religión y hasta los rasgos físicos, definen a una cultura diaguita única por encima de las variantes locales.

Esta cultura fue la que alcanzó mayor desarrollo y llegó a ser muy numerosa. Se calcula que a la llegada de los españoles la población total del Noroeste era de alrededor de *200.000 habitantes*.

Eran agricultores sedentarios, y usaban riego artificial por medio de canales; sus cultivos principales eran: *maíz, zapallo y porotos*. También criaban llamas, que les daban lana para sus tejidos, y también servían como animales de carga. La recolección fue otra de sus actividades, especialmente de la algarroba y el chañar, que almacenaban en grandes cantidades; en mucho menor medida practicaron la caza.

Tenían fuertes jefaturas, con autoridad sobre varias comunidades. El núcleo de la comunidad era la familia monogámica, pero los caciques tenían varias mujeres (poliginia). La organización comunitaria también se asentaba en la *familia extensa*, que permitía un mejor trabajo en las aldeas agrícolas.

Al igual que otras culturas andinas, eran adoradores del Sol, el trueno y el relámpago. Celebraban rituales para dar fertilidad a los campos y tenían un importante culto a los muertos. El alma se convertía en estrella, y para este viaje al difunto se lo enterraba con alimentos y bebidas. A los adultos se los enterraba en el mismo sitio donde vivían; a los niños en cambio los enterraban más lejos, en los cementerios de "párvulos en urnas". Es probable que se hayan practicado sacrificios de niños para atraer la lluvia.

En la cerámica diaguita encontramos muchos diseños de animales sagrados: ñandúes (anunciadores de las lluvias), batracios y serpientes, estas últimas también asociadas al agua que cae del cielo. La lluvia era fundamental para estas comunidades de agricultores y a ella dedicaban sacrificios en lugares construidos a tal efecto, denominados *zupca*, que estaban a cargo de los chamanes.

Participaban del culto a la *Madre Tierra o Pachamama* al igual que en Perú o Bolivia. La Pachamama es la dueña de la tierra; se le ruega por la fertilidad de los campos, el buen viaje del peregrino, el buen parto de las mujeres y la felicidad en todas las empresas. Se le ofrecían sacrificios de sangre y la ofrenda del primer trago, el primer bocado y el primer fruto de la recolección.

En el mito andino, muchas veces la Pachamama está acompañada de Pachacamac (dios del cielo) también llamado Viracocha (en la sierra) y por sus hijos, el Sol y la Luna, héroes civilizadores que en la creencia india son quienes les dieron a los hombres algunos bienes como el fuego, la agricultura o las armas.

El *arte diaguita* (cerámica y metalurgia), dirigido muchas veces al sentido sagrado de la vida, es el más desarrollado de nuestras culturas indígenas.

Los diaguitas fueron guerreros, hecho bien demostrado a la llegada de los españoles, cuando les opusieron una feroz resistencia. Como testimonio queda gran cantidad de recintos que fueron utilizados como *fortalezas (pukarás)*, por lo general acompañados de poblados. Tenían gran variedad de armas, y la guerra contra el español asumió las características de un fenómeno integral en el que participó toda la comunidad.

La guerra puso en contacto a las distintas comunidades entre sí; la misma función cumplió el comercio, que fue intenso.

Ahí vienen los Incas

Hay un hecho fundamental en la historia de la América prehispánica que marcó a nuestro Noroeste y muy especialmente a la región diaguita: la expansión y penetración incaica.

Los incas ingresaron en nuestro actual territorio hacia 1480, utilizando para su penetración las vías naturales, que fueron transformando en caminos de acceso, comunicando al Cuzco con Bolivia, nuestro Noroeste y Chile. A su paso dejaron las formas tradicionales de asentamiento: los "tambos" y "pucarás".

Uno de los mecanismos utilizados por los incas para la dominación del Noroeste fue la introducción de su lengua, *el quichua*, tarea que fue interrumpida por el arribo de los españoles al Cuzco. Es por esa razón que el quichua nunca llegó a suplantar al cacán o al omaguaca (la otra lengua original de la región), aunque había comenzado a difundirse.

Edificaciones, caminos y alfarería nos señalan la presencia incaica en el Noroeste en los siglos XV y XVI, aunque es difícil determinar cuál era la relación que mantenían con los diaguitas. Es posible que esa relación se haya concretado también a partir de los *"mitimaes"*, comunidades desarraigadas por la fuerza y trasladadas como cabeceras de conquista y colonización a otras áreas.

Omaguacas

A pesar de su parecido con los diaguitas, las comunidades omaguacas o humahuacas, ubicadas en la actual quebrada de Humahuaca, formaron una unidad cultural con características propias. Eran agricultores que poseían también riego artificial y andenes de cultivo. Recolectaban frutos y los almacenaban. Fueron pastores y en menor medida cazadores. Además de sus casas, construían una fortaleza en un lugar estratégico, por lo general una elevación.

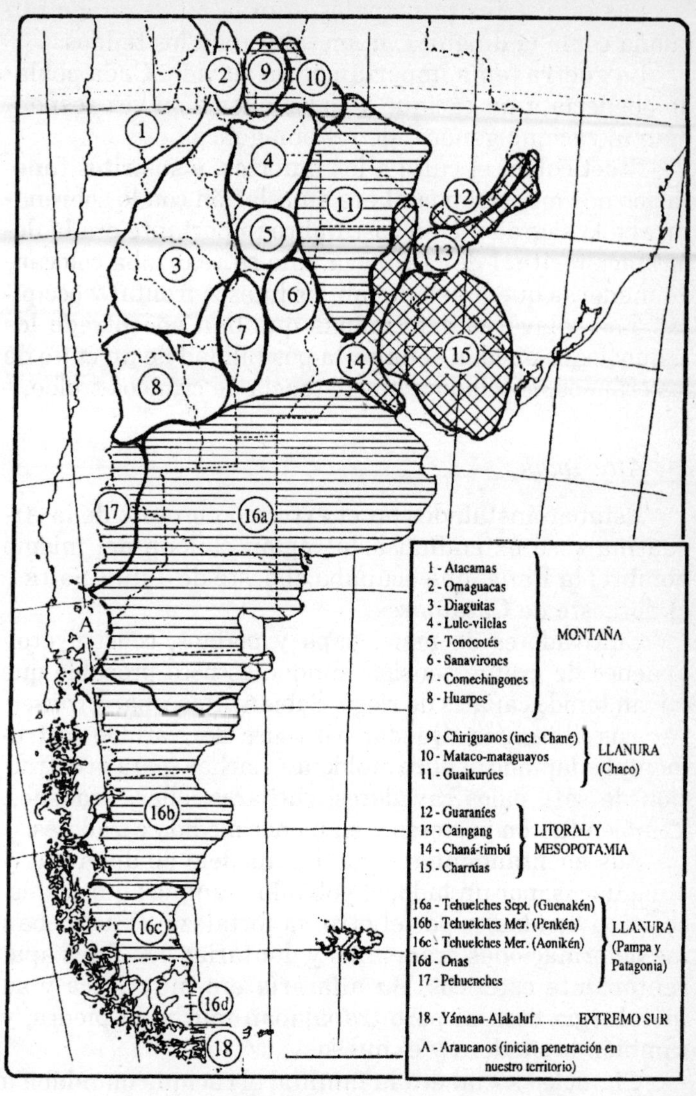

Culturas originarias del actual territorio argentino en el siglo XVI.

Las industrias principales eran la alfarería, no tan buena como la diaguita, la metalurgia y los tejidos.

La guerra tenía importancia en su vida. Cada poblado obedecía a un cacique y todos ellos a su vez respondían al cacique general de los omaguacas.

Practicaban el culto a los muertos, y sus ritos funerarios nos muestran cuál era su relación con lo sobrenatural o lo sagrado. Una costumbre importante era la deformación ritual de la cabeza, que se realizaba colocando maderas que presionaban los huesos frontal y occipital. Las calaveras deformadas que han encontrado los arqueólogos pueden señalar la posibilidad de un culto de los cráneos, asociado a la existencia de cráneos-trofeo.

Atacamas

Estaban instalados en el extremo noroeste de la Argentina y se extendían a la región chilena del mismo nombre: la Puna, que ocupaba el oeste de Jujuy, Salta y el noroeste de Catamarca.

Cultivadores de maíz, papa y porotos; construyeron andenes de gran extensión aunque es poco probable que hayan tenido canales de riego. Sabían almacenar y conservar sus alimentos. Quedan vestigios del variado instrumental adaptado al duro ambiente: hachas (para la extracción de sal), palos cavadores, cucharas, ollas, azadones. También fueron pastores y en menor medida cazadores.

Sus asentamientos siguen el modelo de diaguitas y omaguacas: por un lado, el poblado (aunque aquí con escasas viviendas) y por el otro, la fortaleza. Practicaban las deformaciones craneanas y dentarias con fines aparentemente estéticos. Su alfarería era muy tosca y su metalurgia escasa, pero trabajaban mucho la piedra, y también la madera y el hueso.

El núcleo social era la familia; el cacique mandaba a todas las familias de un grupo. En algunos poblados se han encontrado construcciones de dimensiones mucho mayores que las habitaciones, probablemente templos.

En el Pucará de Rinconada, fueron encontrados menhires de hasta dos metros de altura, y pequeños ídolos de piedra en forma humana (¿amuletos?).

También se descubrieron tabletas para la absorción de plantas que producían visiones, decoradas con figuras humanas. Es probable que *la utilización de estas sustancias estuviera asociada a rituales religiosos*: se sabe que usaban las semillas de *cebil*, muy difundidas en nuestro continente, desde el mar Caribe hasta el Noroeste argentino, en donde además de los atacamas las consumían los comechingones y los lules. Los usos que daban al cebil eran múltiples, pero siempre en el marco de lo sagrado: los trances, las curas chamánicas, las ceremonias colectivas. En otras oportunidades y según las culturas, se lo empleaba antes de las guerras para aumentar la capacidad combativa. Variedades de esta planta de uso ritual se conocen también entre los guaraníes y los wichí o matacos.

Enterraban a sus muertos en grutas naturales que eran completadas con "pircado" (un cerco de piedra). El difunto era depositado con todas sus pertenencias (inclusive las tabletas de cebil). Se practicaban seguramente sacrificios humanos.

Lule-vilelas

Tuvieron su hábitat original en la zona occidental del Chaco al sur de los mataco-mataguayos y al oeste de los temibles guaikurúes. Sin embargo, a la llegada de los españoles grupos importantes de lule-vilelas ocupaban vastas regiones del Noroeste, gran parte del oeste de Salta y norte de Tucumán y también el noroeste de Santiago del Estero. Es por ello que los incluimos en esta región cultural.

En su avance hacia el oeste los lules presionaban sobre los tonocoté de Santiago del Estero; este hecho confundió a los cronistas que tomaron a ambas culturas como una sola y la llamaron *xurí (avestruz)*, gentilicio con que los conquistadores llamaron a los lules.

Aunque algunos grupos practicaban la agricultura, en general los lule-vilelas eran cazadores y recolectores nómades. La guerra desempeñaba un papel importante. Eran guerreros feroces (algunas crónicas hablan de prácticas antropofágicas) que *iban al combate pintados imitando al jaguar.* Utilizaron el cebil para predecir el destino de la comunidad y para pedirle lluvias al ser supremo.

Los lule-vilelas estuvieron en íntima relación con sus hermanos de la llanura chaqueña, especialmente con los mataco-mataguayos y los guaikurúes. Se relacionaron también con los sedentarios y agricultores tonocotés por el oeste. De acuerdo con su hábitat de transición desplegaron una forma de vida diferente según los grupos, desde la agricultura hasta la caza y la recolección.

Es una cultura típicamente chaqueña, que abandona en parte su territorio y migra por razones aún del todo no conocidas hasta la región de la Montaña. El contacto con las etnias de esa región hizo que algunos grupos agregaran la agricultura a su base original cazadora-recolectora.

Tonocotés

Se asentaron en la parte centro-occidental de la actual provincia de Santiago del Estero, en una región llana atravesada por los ríos Salado y Dulce. Es una zona encajonada entre el Chaco occidental, la Montaña y las Sierras Centrales de Córdoba y San Luis por el sur. Desde el punto de vista cultural, estuvo íntimamente ligada a la región de la Montaña.

El asentamiento a la orilla de los ríos es de por sí un indicador del supuesto *origen amazónico* de estos indígenas. Agricultores de maíz, zapallo y porotos, se dedicaron con menor intensidad a la caza, pesca y recolección.

Aprovechaban el río de diversas formas y especialmente una bastante original: excavaban una hoya de enormes dimensiones que se inundaba en la época de crecida del río, y cuando el agua se retiraban cultivaban esa tierra.

Característico de esta cultura es la ubicación de las viviendas en lo alto de pequeñas elevaciones, la mayoría de ellas artificiales. El conjunto de viviendas estaba cercado por una empalizada —rasgo típico de las culturas de la Selva sudamericana— seguramente con fines defensivos.

Las principales industrias eran el hilado, el tejido y la alfarería.

Casi no tenemos datos sobre la organización de su sociedad. En cuanto a lo sobrenatural, sabemos que adoraban a un ser supremo al que le pedían protección para los cultivos.

Las Sierras Centrales

Comechingones

Los comechingones vivieron en las sierras del oeste de la provincia de Córdoba, y se dividen en dos grupos: los *henia* al norte y los *camiare* al sur.

Los primeros cronistas que los vieron nos hablan de "hombres barbudos como nosotros" o también de "la provincia de los comechingones, que es *la gente barbuda*" Parecería que el atributo de la barba llamó la atención de los españoles, y quedó como uno de los rasgos que identifican a estas comunidades.

Eran agricultores de maíz, porotos y zapallos. Utilizaban el riego artificial sobre campos de cultivo cuya gran extensión impresionó a los conquistadores. Conservaban el cereal en silos subterráneos.

Aunque sin el desarrollo alcanzado por las comunidades diaguitas, la vida agrícola de los comechingones se parecía a las culturas de la montaña. Fueron pastores de llamas y en menor medida cazadores y recolectores.

La cerámica no tuvo un gran desarrollo: sí, en cambio, las industrias del tejido, la piedra y el hueso. Casi no trabajaban el metal.

El núcleo de la comunidad era la familia extensa, y un conjunto de familias constituía una parcialidad al mando de un cacique con jerarquía y posiblemente hereditario. Las parcialidades tenían territorios propios delimitados y parecería que ello provocaba constantes hostilidades entre los grupos por violación de los límites.

Los dioses principales eran el Sol y la Luna, creadores de todo lo conocido, generadores de luz, alimento y protección. Hacían la guerra por lo general de noche "para que la Luna estuviera con ellos". Expertos combatientes, tenían un complejo ritual propiciatorio de la buena fortuna en la guerra. Las ceremonias eran presididas por los chamanes que utilizaban el cebil como apoyatura mágica. Los muertos se enterraban en los pisos de las viviendas, lo cual parece ser la costumbre más antigua de los cultivadores.

Sabemos poco acerca de su comercio. Los yacimientos arqueológicos parecen indicar un gran aislamiento, porque al contrario de lo que hemos visto en otras zonas no se encuentran elementos provenientes de otras culturas.

Sanavirones

Ocupaban también parte de las Sierras Centrales, en el norte de Córdoba. Sus vecinos al norte eran los tonocotés y al este los guaikurúes del Chaco; por el oeste comenzaban a avanzar sobre los comechingones. Ocupaban una gran extensión en el bajo río Dulce, incluyendo toda la zona de la laguna de Mar Chiquita.

Fueron agricultores, especialmente de maíz, que cultivaban en vastas extensiones. Practicaron asimismo la recolección, la caza, la pesca y el pastoreo de llamas.

Las viviendas eran de gran tamaño, quizás porque albergaban a varias familias, y a semejanza de los comechingones rodeaban el poblado con una empalizada de troncos. "Casas comunales" y empalizadas nos indi-

Paredones del Río Pichileufu, Río Negro. Raro caso de representaciones geométricas llamadas "grecas" —por su similitud con las clásicas guardas griegas—, que en lugar de estar pintadas, como es común, están grabadas en la piedra. Son posteriores al siglo X después de Cristo. Foto de Ana María Llamazares.

can —otra vez— influencias de las culturas de la Selva.

Por las características de las viviendas podemos deducir que la familia extensa era la unidad mínima de la comunidad, y que socialmente un conjunto de estas familias constituían una parcialidad. Es posible que la presencia de empalizadas se debiera a las luchas internas por venganzas de sangre o cuestiones de límites.

Eran alfareros e inclusive decoraban y pintaban sus cerámicas, que eran parecidas a las de los tonocotés.

Cuyo

Huarpes

En el siglo XVI los huarpes ocupaban la zona limitada al norte por el valle del río San Juan; al sur por la cuenca del río Diamante en la provincia de Mendoza; al oeste por la cordillera de los Andes y al este por el valle de Conlara. En total, ocupaban las actuales provincias de San Juan, San Luis y Mendoza.

La cultura huarpe estaba formada por dos grupos diferentes, con sus respectivos dialectos: *allentiac* y *milcayac*. Los primeros habitaban las lagunas de Guanacache, la provincia de San Juan y la de San Luis, mientras que los segundos estaban asentados al sur de Guanacache hasta el río Diamante en toda la provincia de Mendoza. Los huarpes del oeste eran agricultores sedentarios y cultivaban el maíz y la quinoa. Tenían acequias (canales de riego) en los terrenos cultivados y fueron ceramistas. Practicaron la recolección (algarroba) y en menor medida la caza.

Los huarpes del este eran cazadores de liebres, ñandúes, guanacos y vizcachas. Algunas crónicas nos hablan de la existencia de perros adiestrados para colaborar en la caza, en la que utilizaban el arco, la flecha y las boleadoras. El sistema más común de caza, muy parecido al de los querandíes, llamó la atención de los conquistadores: *perseguían a la presà sin dejarla comer ni beber, hasta agotarla.*

Además de los allentiac y milcayac, existía un tercer grupo de huarpes con características propias en las lagunas de Guanacache, en el límite entre las actuales provincias de San Juan, San Luis y Mendoza. Allí había grandes zonas inundadas que condicionaron un tipo de vida singular de estas comunidades, llamadas tradicionalmente *"huarpes laguneros"* o "huarpes de Guanacache". Practicaban la caza y la pesca, esta última con balsas que son el tipo de embarcación más antiguo: tallos de juncos atados con fibras vegetales. En las lagunas también cazaban patos.

Además de la cerámica los huarpes trabajaron en cestería (especialmente en Guanacache).

Cada parcialidad obedecía a un cacique, pero seguramente los huarpes cazadores de la zona del este no tuvieron un sistema rígido de autoridad. Existían algunas costumbres muy difundidas como el *levirato* (la viuda y los hijos pasan a depender del hermano menor del fallecido) y el *sororato* (el hombre al casarse lo hace también con las hermanas de la mujer). Eran comunes los ritos de iniciación, en algunos casos semejantes a los de los yámana-alakaluf. Se sabe que los allentiac adoraban a un ser supremo, y temían a su opuesto maligno. En cuanto al ritual fúnebre, algunas crónicas mencionan ceremonias colectivas.

Los huarpes parecen haber sido una cultura pacífica, lo que explica su rápida incorporación al sistema impuesto por el conquistador español.

La llanura

Pampa y Patagonia

Tehuelches

La cultura tehuelche se componía de tres grupos principales: *tehuelches septentrionales o del norte (guenaken)*; *tehuelches meridionales o del sur (penken* y *aoniken)* y *onas (selknam* y *haus)* en Tierra del Fuego. Esta clasificación reemplaza a los muchos nombres que usaron cronistas y estudiosos: *patagones* (todos los tehuelches o tehuelches meridionales); *pampas* (tehuelches septentrionales); *chonekas* o *chónik* (equivalentes a patagones); *puelches* (parcialidad de los tehuelches septentrionales); *taluhet*, *diuihet* y *chechehet*; *querandíes*.

El nombre "techuelche" se lo dieron los araucanos; en su lengua es "chehuelche", y significa "gente brava". Las comunidades tehuelches formaban una unidad cultural desde mucho antes de la llegada de los españoles, unidad que se disolvió por causa de la penetración araucana desde Chile. En el siglo XVIII ocupaban los territorios limitados al norte por el sur de Santa Fe, Córdoba, San Luis y Mendoza; al oeste por la cordillera de los Andes; al este por el océano Atlántico; y al sur abarcaba toda Tierra del Fuego.

Tehuelches septentrionales y meridionales

Eran cazadores y recolectores. Las presas principales eran el guanaco y el ñandú y otras menores, como la liebre y el zorro. Un sistema de caza consistía en perseguir al animal hasta agotarlo; también empleaban *"señuelos"*, como disfraces de plumas de avestruz, o se utilizaban pequeños guanacos para atraer a las manadas. La permanente persecución de los animales los obligaba a mudar sus aldeas, que eran más bien *"paraderos"* provisorios. Sabían conservar la carne secándola al sol y salándola.

Los animales no sólo les daban alimento sino también vestimenta y vivienda. La primera era el típico *"manto patagón"*, confeccionado con varias pieles de guanaco o zorro con el pelo hacia adentro, mientras que la vivienda era el típico *"paravientos"* o *"toldo"* consistente en una serie de estacas sobre las cuales se colocaban las pieles.

La unidad social mínima era la familia extensa; un grupo de familias constituía la banda, que era la organización social máxima, por lo general de no más de un centenar de individuos. Al mando de cada banda estaba un cacique, que organizaba las cacerías y dirigía las marchas.

En ambos grupos de tehuelches existía la creencia en un ser supremo: *Tukutzual* entre los septentrionales y *Kooch* entre los meridionales. Los septentrionales tenían también la figura de *Elal*, héroe civilizador que según la tradición condenó a la primera generación de hombres a ser peces por haber violado un tabú sexual. Este mito, según el cual los peces habían sido sus antepasados, hizo que los tehuelches no practicaran la pesca.

Enterraban a los difuntos en la cima de las colinas (meridionales) o en cavernas y grutas (septentrionales) recubriéndolos con piedras (*"chenque"*).

Las comunidades tehuelches tuvieron intensa relación entre sí ya sea por comercio o guerra. Esta última se debía por lo general a la violación de los territorios de caza, o a venganzas.

Los querandíes eran, desde el punto de vista cultural, un sector (el ubicado más al norte) de la cultura tehuelche, compartiendo con las comunidades del interior de la llanura una forma de vida cazadora, una organización similar, una cosmovisión y seguramente una misma lengua.

Sin embargo, existieron algunos grupos o subgrupos de querandíes que presentaron ciertas características propias, especialmente los más cercanos a las costas del Río de la Plata. Esas características, que consignamos a continuación, los acercan a su vez a sus otros hermanos de la llanura: los guaikurúes.

- La denominación "querandí", que en lengua guaraní significa *"gente con grasa"*, les fue dada por las comunidades del Litoral, probablemente por su afición a la grasa del guanaco.
- La práctica de la pesca (inexistente entre los tehuelches) que llevaban a cabo en canoas. Asociada a esa actividad, encontramos la conservación de la harina de pescado. La pesca, y su herramienta la canoa, son comunes entre los abipones, parcialidad guaikurú.
- La utilización de *los cráneos de los enemigos para beber en ellos,* tal como sucedía entre los tobas y mocovíes, también parcialidades guaikurúes.
- El sacrificio de los cautivos con motivo de la muerte de un jefe, práctica común entre los mbayá.

Estos datos indicarían una relación más cercana de los querandíes con las culturas del Chaco. Inclusive el hábitat en el que desplegaban su vida los hace aparecer como *"etnia intermediaria"* entre los tehuelches y los guaikurúes.

Onas

Este grupo constituye el tercer componente de los tehuelches. Ocupaban todo el territorio de la Tierra del Fuego, con excepción del Extremo Sur, hábitat de los yamana-alakaluf.

Estaba integrado por dos parcialidades: los *selknam* (u *onas*) en casi toda la isla y los *haus* (o *maneken*) en la península Mitre. En un ambiente ecológico similar a los cazadores de Patagonia, los onas compartieron una misma forma de vida, sustentada en la caza del guanaco y secundariamente de aves como patos y cisnes. Fueron también recolectores de raíces y frutas silvestres.

A pesar de las condiciones de su hábitat, los onas no tuvieron medios de transporte acuático y prácticamente no pescaron. Constituían pequeñas bandas nómadas en continuo desplazamiento.

Al igual que entre los tehuelches continentales, la unidad mínima era la familia extensa y el conjunto de familias formaba la banda. No había jefes, salvo en períodos de guerra; la autoridad recaía en ancianos y chamanes.

Los onas tenían dividido el territorio en sectores de caza para cada una de las bandas, lo que provocaba constantes enfrentamientos por la violación de los límites.

Los adolescentes varones empezaban a formar parte de la comunidad adulta mediante una iniciación, tras la cual ingresaban al *"kloketen"* o sociedad secreta de hombres, destinada a sembrar el terror entre las mujeres.

El matrimonio era exogámico (se casaban con un miembro de otra banda) y por lo general monogámico, aunque se practicaba el levirato y el sororato.

Adoraban a un ser supremo, *Temaukel*, creador del cielo y de la tierra, dador de la vida y de la muerte. Igual que entre los tehuelches meridionales, al ser supremo se le agregaba un héroe civilizador, *Kénos*, que en tiempos inmemoriales había formado el cielo y la tierra, y había dictado la ley moral. Completaba su religión un conjunto de *"demonios de la naturaleza"* que por lo general acechaban a las mujeres. La muerte de un miembro de la comunidad era vivida como tabú: su nombre no volvía a mencionarse y sus pertenencias eran destruidas.

Neuquén

Pehuenches

Si bien no ocuparon exactamente el territorio de la Llanura, estuvieron culturalmente emparentados con ella, por lo que los incluimos en aquella gran región, en una "subregión" particular, delimitada aproximadamente por la actual provincia de Neuquén. Estaban constituidos por un gran número de parcialidades, físicamente diferentes de los tehuelches y los araucanos, más parecidos a los huarpes.

"Pehuenche" fue el gentilicio que les dieron los araucanos, y su significado es *"gente de los pinares" (pehuén: pino; che: gente)*, porque estaban asentados en medio de los pinares (araucarias) neuquinos. Quizás no los nombraron así sólo por el lugar que habitaban sino porque su alimento básico era el pehuén, el piñón de la araucaria, que recolectaban en grandes cantidades y almacenaban en silos subterráneos.

Estaban organizados en bandas que reunían a un grupo de familias y no existían jefaturas fuertes; tenían territorios de recolección y caza bien delimitados y adoraban a un ser supremo que vivía más allá del Océano Pacífico.

Chaco

Guaikurúes

Bajo la denominación general de "guaikurúes" se engloba a *tobas*, *mocovíes* y *abipones*, probablemente por obra de los conquistadores españoles, que emplearon la palabra en algunas crónicas y la tradujeron como "inhumanidad o fiereza" o "viles traidores".

La llanura chaqueña fue un paraíso para estos cazadores (no olvidemos que la voz *chacu* en quichua significa: *"territorio de caza"*), que encontraron en ella pecaríes, venados, tapires y ñandúes, fuente básica de su subsistencia. También recolectaban los frutos del algarrobo, el chañar, el mistol, el molle y raíces diversas. Los mocovíes comían además langostas y miel.

Las técnicas de caza eran semejantes a las practicadas por los tehuelches septentrionales (incendio de pra-

Máscara de piedra. Colección A. Rosso.
Museo Arqueológico Ambato, La Falda, Córdoba.
Foto de Ana María Llamazares.

deras; señuelos) pero a diferencia de éstos pescaban, mediante arcos y flechas o *redes "tijera"*. Conocieron la conservación del alimento, a través del ahumado del pescado, y en las comunidades más en contacto con los tupí-guaraníes del sur del Brasil y del otro lado del río Paraguay, comenzaron a cultivar el suelo.

Cierto tipo de tejido parece ser original del Chaco y ocupa un lugar importante en las artesanías guaikurúes.

Se organizaban socialmente sobre la base de la banda compuesta por familias extensas, dirigida por un cacique hereditario cuyo gran poder estaba controlado por un *"consejo de ancianos"*. Cada banda tenía sus propios territorios de caza y pesca. La familia era monogámica, salvo para los jefes, que tenían varias esposas.

Creían en un ser supremo creador del mundo, y tenían una compleja mitología de animales y héroes culturales. Existía la idea de *"los dueños de los animales"*, relacionada con la organización de la caza y la pesca, con la iniciación de los jóvenes y las prácticas chamánicas. Más tarde tuvieron influencia de ideas religiosas andinas y selváticas, especialmente en lo referente al tiempo, el cual comenzó a ser vivido como períodos que finalizaban con alguna catástrofe total.

Entre las prácticas funerarias se destaca *el entierro secundario de los huesos:* después de que un difunto había pasado algún tiempo enterrado, se exhumaban los huesos, se los limpiaba y se los volvía a enterrar, en la creencia de que ellos alojaban la potencia vital del ser humano.

Mataco-mataguayos

Estaban constituidos por los grupos étnicos *matacos*, *mataguayos*, *chorotes* y *chulupíes* que ocupaban parte del Chaco Austral y Central.

Eran cazadores, recolectores de hierbas y miel y pescadores. Tejían la fibra de caraguatá, con la que fabricaban bolsas para la recolección (son las "yicas", que hoy siguen fabricando y que han sido adoptadas por las modas femeninas de las grandes ciudades).

Las comunidades estaban formadas por un número no muy grande de familias, y tenían al mando un cacique de autoridad relativa. La familia monogámica era la base de la comunidad, aunque entre los jefes era común el tener más de una esposa. Cada parcialidad tenía su territorio de caza y la propiedad era colectiva.

Creían en un ser supremo y también en espíritus encargados de gobernar la naturaleza y sus actividades como la lluvia y el crecimiento de los frutos. El héroe civilizador de los matacos, *Tokwaj*, les dio los elementos para la pesca.

El chamán era un personaje importante en la comunidad. Se llegaba a chamán por revelación, por aprendizaje, o por transmisión hereditaria. Era el puente entre la comunidad y lo sobrenatural, y el custodio de los mitos que explicaban el misterio de los hombres y del mundo, además de aplicar esos conocimientos para la curación de enfermedades. Los mataco-mataguayos también practicaban el entierro secundario de los huesos.

Esta cultura parece no haber sido muy guerrera, salvo algunas acciones emprendidas como respuesta ante los ataques de los conquistadores españoles.

Chiriguanos

Las tres grandes culturas de la Selva Sudamericana son la *tupí-guaraní*, la *arawak* y la *carib*. Antes de la llegada de los españoles, cubrieron una enorme extensión; sus núcleos de origen estuvieron en la actual *Guayanas* (arawak y carib) y en el *Amazonas inferior* (tupí-guaraní).

Los chiriguanos pertenecen a los guaraníes que llegaron hasta el actual territorio de nuestro país. Parece ser que la palabra "chiriguano" significa *"estiércol frío"* en quichua, y fue el nombre nada amable que les pusieron los incas.

Eran agricultores sedentarios, de mandioca, zapallos, batatas y maíz. La técnica del cultivo era la típica *"milpa"* amazónica, es decir el talado de árboles, el corte de la maleza, el incendio y el posterior cultivo sobre el terreno quemado. La tarea era compartida entre hombres y mujeres: los primeros hacían el talado y las segundas sembraban, cuidaban y cosechaban. Lo producido por las cosechas era almacenado en graneros construidos sobre pilotes. La caza y la pesca eran actividades secundarias de subsistencia.

Varias familias vivían juntas en cada vivienda, que eran grandes (podían alojar cerca de cien individuos), de planta circular con techos cónicos. Un conjunto de viviendas constituían una aldea que por lo general se ubicaba a orilla de un río.

La familia extensa era el núcleo de la comunidad y cada aldea estaba a cargo de un jefe de gran poder. El cargo era hereditaro. A este jefe se lo llamaba *cacique local (mrubicha)* y tenía como lugartenientes a los *igüira iya*; *sus hechiceros benignos (ipayé) y los capitanes de guerra (queremba).* En caso de guerra, todos los caciques pasaban a depender del *cacique regional (tubicha rubica, "el más grande entre los grandes")*, jefe absoluto que a su vez era el cacique de la aldea más importante.

En la concepción del universo predomina la búsqueda de un equilibrio cósmico que se manifiesta permanentemente entre el bien y el mal. El bien es *"tumpaeté vae"*, el ser supremo; el mal es *"aguará tumpa"*, su contrario complementario que en la tierra está representado por el zorro. El chiriguano rinde culto a ambos principios porque respeta el equilibrio entre el caos (la destrucción, el hambre, la maleza, la arbitrariedad) y el cosmos (la luz, la abundancia, el maíz, la justicia).

Un personaje muy importante es el chamán, invocador de los buenos espíritus y curador por excelencia.

Chané

Pertenecen al grupo mayor arawak que como dijimos se desplazó por toda Sudamérica y las islas del mar Caribe. Hacia el sur llegaron hasta el Chaco centro occidental, ya en territorio argentino, punto final de su expansión.

Los arawak reúnen a muchos grupos con distintos modos de vida, desde pequeñas bandas nómades hasta aldeas fijas con gran población. Todos tenían sociedades bien organizadas, un gran desarrollo de la actividad religiosa y militar, y rendían culto a dioses reconocidos por varias aldeas.

Litoral y Mesopotamia

El Litoral

Guaraníes

La expansión tupí-guaraní llegó no sólo al Chaco (chiriguanos) sino más al sur todavía: al Litoral, con comunidades provenientes de la selva amazónica que bajaron por los ríos Paraná y Paraguay, ocupando las zonas aledañas.

Los guaraníes del Litoral se parecían a sus hermanos de Amazonia y por lo tanto a los chiriguanos. Pero el hábitat diferente, la relación con otras comunidades y más tarde el papel jugado por la ciudad de Asunción en la era colonial, llevaron a estos pueblos a cumplir un papel muy particular. Fueron comunidades agricultoras y sedentarias, pacíficas, en medio de culturas cazadoras y muy aguerridas.

En el siglo XVI existían varios asentamientos guaraníes: el más importante era el del norte de la provincia de Corrientes y el litoral de la de Misiones. El segundo en importancia estaba ubicado en las islas que forma el Paraná hacia su desembocadura. Un tercer sitio de menor importancia parece haber estado en las islas del delta del Paraná.

Basaban la subsistencia en la agricultura. Fueron, a excepción de los grupos chaná-timbú, las únicas comunidades agricultoras del Litoral y Mesopotamia. Cultivaron especialmente *la mandioca*, la batata y el maíz; en menor medida el zapallo, los porotos, el maní y la yerba mate. Los grupos del delta no deben de haber cultivado la mandioca que es el producto principalísimo de las culturas de la Selva, por el clima más frío.

La técnica del cultivo era la *"milpa" o "roza"* ya descripta. Cada parcela se cultivaba durante dos o tres años y cumplido el lapso desmontaban las aldeas e iniciaban la busca de nuevas tierras que reemplazaran a las agotadas.

Lo que no consumían de inmediato lo almacenaban. Caza, pesca y recolección eran actividades secundarias. Sin embargo, muchas crónicas nos hablan de la importancia que tenía la pesca en estas comunidades.

Tenían una alfarería peculiar: del tipo "imbricada", con decoración hecha con la punta de los dedos; también utilizaron la pintura para decorar. Es común además la existencia de la gran tinaja utilizada como urna funeraria para adultos.

Fueron hábiles en el manejo de sus canoas, que usaban para viajar y hacer la guerra. La vivienda era la gran casa comunal en la que se alojaban varias familias extensas *(la "maloca")*. La familia extensa era la unidad social básica y el conjunto de familias formaba la aldea. Un rasgo característico de Amazonia es la empalizada que protege a estas aldeas y en el Litoral también fue utilizada esa técnica defensiva.

Igual que los chiriguanos, tenían caciques locales y uno general. Estos jefes recibían obediencia absoluta y el conjunto de la comunidad estaba obligado a trabajar las tierras para él y, siguiendo una costumbre ancestral, construir su vivienda. La familia fue polígama, aunque en general ello dependía de cada hombre.

En cuanto a la cosmovisión, coincidían en líneas generales con la de los chiriguanos, y tenían la creencia en la *"Tierra sin Mal"*, que quizás fue el motivo de que estas comunidades emigraran desde el corazón de Amazonia hasta las costas del Paraná.

La "Tierra sin Mal" es un paraíso al cual se retiró el

Vasija de cerámica negra pulida con asas en forma de pies. Cultura de La Aguada, valle de Ambato, Catamarca. La decoración representa la típica imagen estilizada del felino. Colección Rosso, Museo Ambato, La Falda, Córdoba. Foto de Ana María Llamazares.

héroe civilizador luego de haber creado el mundo y haber dado a los hombres los conocimientos esenciales para su supervivencia. Es allí adonde, después de ciertas pruebas, llegan los muertos privilegiados, los chamanes y los guerreros. Pero este paraíso se abre también a los vivos que hayan tenido el valor y la constancia de observar las normas de vida de los antepasados.

No es sólo un lugar de felicidad sino el único refugio que quedará a los hombres cuando llegue el fin del mundo. La búsqueda se realizaba generalmente a través de una migración masiva guiada por un chamán.

Otra idea siempre presente en la concepción del mundo guaraní es *la dualidad*. Además de los dos principios del bien y del mal ya mencionados, juegan un papel muy importante *el mito de los gemelos*, en el que se describe la unión del ser supremo con la primera mujer y el nacimiento de dos hermanos, que luego de dar muerte a los jaguares que habían devorado a su madre, se transforman en la Luna y el Sol.

Chaná-timbú

Las primeras crónicas nos hablan, además de los querandíes y los guaraníes, de un conjunto de comunidades con características diferentes: los chaná-timbú, ubicados a ambas márgenes del Paraná en territorios de las actuales provincias de Buenos Aires, Santa Fe, Entre Ríos y Corrientes. Se mencionan a las siguientes: *mepenes*; *mocoretás*; *calchines*; *quiloazas*; *corondas*; *timbúes*; *carcaráes*; *chaná o chanáes*; *mbeguaes*; *chaná-timbœes*; *chaná-mbeguaes*.

Eran pescadores, y se desplazaban en grandes canoas de hasta veinte metros de longitud. Como los querandíes, conservaban el pescado secándolo al sol y ahumándolo. También practicaban la caza y la recolección, especialmente de miel. Entre ciertos grupos como los timbúes y carcaráes, hubo un comienzo de agricultura, basada en maíz y zapallos.

En el siglo XVI empezaron a sufrir la influencia de las aldeas guaraníes ubicadas en inmediaciones de los territorios chaná-timbú. Los conquistadores se sirvieron de los cultivos de esas comunidades para su abastecimiento.

La vestimenta clásica era el manto de pieles (en este caso de nutria) tal como en las comunidades de la Llanura, tehuelches y guaikurúes.

Las viviendas eran chozas rectangulares; en algunos grupos, probablemente por influencia de la selva, alcanzaban grandes dimensiones. Eran alfareros y en esa industria son comunes los platos grandes que según algunos estudiosos podrían indicar la existencia de una economía basada en el cultivo de la mandioca, lo que emparentaría aún más al grupo chaná-timbú con las culturas de la Selva.

Cada parcialidad estaba al mando de un cacique y es posible que haya habido también caciques generales.

La concepción del mundo de estas comunidades nos es prácticamente desconocida, salvo por la importancia de los chamanes y el entierro secundario; también por la costumbre de cortarse la falange de los dedos de las manos a la muerte de un pariente, como símbolo del dolor por la pérdida (tradición de ciertas culturas cazadoras).

El Interior

Caingang

En el siglo XVI los caingang ocupaban el interior de la Mesopotamia, en las actuales provincias de Misiones y Corrientes. Estos *"hombres del bosque" (ka: bosque; ingang: hombre)* eran recolectores, especialmente del fruto del pino de Misiones; también recogían larvas y frutos silvestres, junto con miel y algarroba. Además eran cazadores y pescadores. El rico interior del litoral ponía a su disposición una fauna inagotable: ñandúes, cuises, chanchos del monte. Más tarde incorporaron la agricultura. Originariamente no poseían cerámica y la reemplazaban con calabazas en las cuales se almacenaba miel.

Por ser nómades, la vivienda era apenas un paravientos de vegetales trenzados, aunque algunos grupos tenían chozas con divisiones internas, habitadas cada una de ellas por una familia. Más adelante hubo chozas comunales, semejantes a la "maloca", que indican la importancia de la familia extensa. Tres o cuatro de estas viviendas formaron en época tardía una aldea semisedentaria.

Los chamanes utilizaban la yerba mate para comunicarse con la divinidad y conocer sus designios; sabemos además de la importancia de los "dueños de los animales" a los que se veneraba y temía.

Charrúas

Comprendían dos grupos: los *guenoas* o *guenoanes* y los *bohanes*, además del grupo charrúa propiamente dicho. El resto eran parcialidades menores.

El hábitat era el actual territorio uruguayo, pero grupos dispersos ocuparon en tiempos prehispánicos la provincia de Entre Ríos *(los minuanes)* y algunos grupos extendieron dicha ocupación hasta el sur de Corrientes.

Tuvieron una lengua propia con variantes dialectales.

Eran cazadores y recolectores nómades con una forma de vida muy semejante a la de las comunidades de Pampa, Patagonia y Chaco. Formaban parte de la tradición cultural de la Llanura, pero por cuestiones de ubicación geográfica, por sus características peculiares y por la relación que mantuvieron con sus vecinos, hemos preferido incluirlos en la región del Litoral y Mesopotamia.

Los animales cazados eran ñandúes, venados y roedores. La técnica principal de caza era semejante a la de los tehuelches: persecución de animales hasta rendirlos por agotamiento. Recolectaban además frutos silvestres. Ciertas parcialidades practicaron la pesca, dato que los aparta de la cultura tehuelche al igual que sucedía con los querandíes. En efecto, las comunidades del litoral del Río de la Plata y las asentadas en las riberas del río Uruguay fueron muy pescadoras, para lo cual contaron con grandes canoas similares a las de los chaná-timbú. La vivienda era precaria: el típico paravientos con paredes de ramas. El vestido los acerca nuevamente a los tehuelches: el manto usado con la piel hacia adentro.

Un conjunto de toldos conformaba la unidad social mínima al mando de un cacique. La familia era monogámica aunque no se desconocía la poligamia. La unión de las diferentes bandas sólo ocurría en caso de guerra para lo cual se organizaba *el consejo de caciques*.

Creían en un ser supremo, y en "el espíritu guardián" de cada hombre, al que se invocaba en momentos de peligro. Había chamanes de dos tipos: los representantes del bien, y sus opuestos del mal. Los primeros se ocupaban de las curas mágicas, los segundos tenían la capacidad de enfurecer a la naturaleza desatando tormentas y desbordando los ríos. Se practicaba el culto a los muertos, con entierro secundario de los huesos. Igual que los querandíes, conservaban el cráneo del enemigo como trofeo de guerra.

El Extremo Sur

Canales Fueguinos

Yámana-alakaluf

Eran dos culturas diferentes, pero las consideramos como una entidad única por los muchos rasgos semejantes, por su historia similar, y porque vivieron en un mismo hábitat. Ocupaban la parte sur de Tierra del Fuego e islas magallánicas, los yámanas en el actual sector argentino y los alakaluf en el sector chileno. Esta zona es una continuación de Patagonia, pero con una ubicación muy desfavorable para la vida humana. Los hombres que llegaron allí quedaron arrinconados en el confín del continente, en donde a pesar de todo pudieron desarrollar por siglos una forma de vida propia, mostrando una gran capacidad de adaptación.

La vida de estas culturas dependía del océano y sus recursos. Fueron pueblos canoeros, por lo que algunos autores los denominan como *"los canoeros magalláni-*

cos". Eran cazadores y pescadores de los productos del mar: *cazaban mamíferos marinos (focas y ballenas*; estas últimas eran abatidas cuando se acercaban a la costa agotadas o enfermas). Se internaban en el mar con sus canoas fabricadas de corteza de haya obtenida de los bosques de las islas y en ellas viajaba toda la familia, que participaba de la búsqueda del alimento. El instrumental se reducía a arpones de hueso y lanzas. Si bien *el mar era para estas comunidades la vida (pasaban la mitad de su tiempo en él)* la tierra ofrecía también su interés por las posibilidades para la recolección: mejillones, cangrejos, raíces y hongos.

La familia era monogámica y por encima de ella estaba el grupo, de carácter nómade. La población yámana-alakaluf fue escasa, con núcleos dispersos en constante desplazamiento, aunque tuvieron territorios de caza y pesca delimitados. Sus poblados temporarios estaban ubicados por lo general sobre los mismos canales. No había jefes; sólo los ancianos y los chamanes tenían alguna influencia.

Creían en un ser supremo (*Watauinewa, "el ancianísimo"*) dueño de todo lo existente, dador de alimentos, de justicia, de vida y de muerte. Era un ser activo que participaba en la vida comunitaria.
En otra dimensión estaba el mundo de los espíritus y las almas de los grandes chamanes muertos.

Entre los alakaluf no era necesaria una vocación especial para llegar a ser chamán; casi todos los ancianos lo eran; distinto sucedía entre los yámanas, que recibían esa misión por revelación. Es probable que este sistema chamánico relativamente elaborado haya recibido influencias de los onas.

Los ritos de iniciación tenían suma importancia, al igual que las ceremonias llevadas a cabo por *la sociedad secreta de varones (la "kina")* que se relaciona con rituales similares de los onas (el "kloketen").

¿CUÁNTOS ERAN LOS INDÍGENAS EN EL SIGLO XVI?

Es muy difícil determinar las cantidades de población de cada una de las regiones que hemos analizado. Para llegar a un número aproximado debemos reunir los datos que aporta la arqueología, la historia y la comparación de nuestro territorio con otras áreas del continente. Por los estudios hechos hasta ahora, podemos suponer que la población indígena en el actual territorio argentino alcanzaba en el siglo XVI un total aproximado de entre *300.000 y algo más de medio millón de individuos*, aunque algunos investigadores elevan esa cifra a un millón.

Para esa época, la población total de América se estima en alrededor de trece a quince millones de habitantes. Las mayores densidades se daban en la región de la Montaña. Esa misma situación se repite en nuestro territorio: el grueso de población se concentraba en la Montaña, zona por excelencia de la agricultura.

EL FIN DE LOS TIEMPOS

Llegado el siglo XVI, nuestras culturas originarias ya habían aprendido mucho. En algunos casos formaban comunidades sedentarias que vivían en armonía con su entorno, cultivando la madre tierra, sostenidas por una fuerte organización social que reunía a miles de individuos. En otros casos, bajo el cielo abierto de la llanura infinita, grupos de cazadores y recolectores recorrían sin cesar los caminos en la búsqueda del alimento cotidiano.

Nuestros indígenas cultivaron intensamente la tierra, recolectaron sus frutos, cazaron en las selvas, montes y estepas, pescaron en los ríos. Unas veces realizaron todas las actividades al mismo tiempo; otras, sólo algunas de ellas.

Casi todos comerciaron entre sí; en algunas regiones empezaba a crearse una unidad a partir del encuentro cotidiano en el espacio de todos, el espacio del intercambio y el diálogo. En otros lugares el encuentro no fue pacífico sino bélico, a través de la guerra cruel que en muchas ocasiones constituía un ideal de vida.

Todos invocaron a sus dioses, a los espíritus de la naturaleza, a los dueños de los animales, a sus chamanes. Pidieron consejo a los ancianos y siguieron a sus caciques. Honraron a los muertos. Enseñaron a sus hijos los secretos de la comunidad. Jugaron. Amaron. Odiaron. Fueron en algunos casos solidarios y dignos; en otros, mezquinos o sanguinarios.

Fueron hombres que vivieron una vida plena.

Nuestras culturas originarias vivieron afanosamente. Con cada salida del Sol, la vida comunitaria volvía a ser posible y el destino colectivo era un proyecto por el cual valía la pena ser un hombre de este lugar del mundo.

Pero un día el Sol se detuvo. Y todos quedaron inmóviles. En algunas regiones los vieron; en otras, más adentro del continente, los presintieron: habían llegado otros hombres, de otras tierras, desde muy lejos. Habían venido hasta ellos. Eran extraños y traían artefactos desconocidos. Algunos transportaban la muerte. Otros, simbolizaban dioses; hasta traían animales jamás vistos. Hablaban otra lengua. Tenían otro color de piel. Y otra vestimenta. Y otra forma de caminar. Venían desde más allá de las aguas interminables. De otro mundo. Y continuaban viniendo.

Habían llegado hasta ellos, irremediablemente, a quedarse para siempre.

SEGUNDA PARTE

LAS CULTURAS ORIGINARIAS EN LA CONFORMACIÓN NACIONAL

CAPÍTULO III

EL DRAMA DE LA CONQUISTA

LA LLEGADA DE LOS CONQUISTADORES

También los españoles sufrieron un impacto a pesar de que eran ellos los conquistadores: el encuentro con los indios y la nueva tierra significó para ellos un encandilamiento. El asombro fue mutuo. Pero pasado ese primer momento, comenzó el proceso de Conquista y con él la resistencia de los indígenas.

Hasta el actual territorio argentino llegaron distintas *corrientes de poblamiento*:

- *la del Este* (luego transformada en la línea asunceña, desde 1536, colonizadora del Litoral)
- *la del Norte* (desde Perú y a partir de 1550, consolidó el asentamiento en el Noroeste asegurando la comunicación con los Andes Centrales);
- *la del Oeste* (desde Chile y colonizadora de Cuyo).

En sólo *60 años* estas tres corrientes de penetración consiguieron asentar a los españoles en las regiones de la Montaña y el Litoral, con casi *20 pueblos* a partir de los cuales comenzó a girar la nueva vida en nuestro territorio.

Pero también desde entonces se dio un elemento que seguiría presentando una continuidad distintiva a lo largo de la historia posterior: *los territorios indígenas libres.*

Los españoles penetraron, ocuparon y poblaron las regiones de la Montaña y el Litoral, pero no la Llanura (Pampa, Patagonia y Chaco) y el Extremo Sur, que por distintos motivos se convirtieron en ámbitos inaccesibles. Quedaron como propiedad de las culturas originarias, que las defendieron durante tres siglos más, contra los propios españoles de la Colonia, los virreyes y el Estado argentino.

LA RESISTENCIA INDÍGENA

La resistencia a la Conquista se produjo en toda América. Los primeros enfrentamientos se dieron en *Las Antillas*, y tuvieron como protagonistas especialmente a los carib, a los que sólo se pudo someter en forma definitiva en el siglo XVIII.

Las culturas de la Montaña prácticamente se derrumbaron ante el embate invasor. Cuando reaccionaron del primer impacto, los conquistadores ya se habían instalado y consolidaban su avance. Los focos de rebelión fueron aplastados, después de soportar serias pérdidas.

Durante muchísimo tiempo *la selva* fue inaccesible para el conquistador. Cuando ella misma no alcanzaba como obstáculo, los indígenas que la habitaban hicieron la guerra. La región fue explorada desde el oeste por los españoles y desde el este por los portugueses, quienes sólo a mediados del siglo XVII consiguieron dominar la desembocadura del río Amazonas y zonas aledañas. El interior permaneció inexplorado, protegido por las comunidades originarias.

En el actual *territorio chileno* la cultura araucana opuso una feroz resistencia en una guerra que probablemente fue la más continuada y la más violenta de cuantas se trabaron en América.

¿Qué pasaba mientras tanto en nuestro territorio con las culturas originarias y su reacción frente al conquistador?

Primeros enfrentamientos en las montañas

La región de la Montaña fue particularmente violenta para ambos bandos. De las cinco culturas que habitaban el Noroeste: lules, tonocotés, atacamas, *diaguitas y omaguacas*, las dos últimas *produjeron la máxima oposición*.

Los lules fueron sometidos casi de inmediato aunque algunas parcialidades mantuvieron su independencia migrando hacia el interior del Chaco, su hábitat original.

Los tonocotés recibieron en forma pacífica a los españoles y empezaron a trabajar para éstos en las "encomiendas".

Los atacamas permanecieron ajenos en ese primer momento del proceso conquistador: no participaron de la resistencia, no sufrieron traslados forzados ni siquiera se fundaron reducciones religiosas en la zona. El ámbito ecológico aislado favoreció también la preservación cultural.

Los diaguitas y omaguacas, en cambio, protagonizaron importantes levantamientos. El sistema de encomiendas como nuevo régimen impuesto por los españoles no dio resultado en esas comunidades, que fueron condenadas en muchos casos a desarraigos obligados. En muchas oportunidades la resistencia indígena se transformó en una guerra ofensiva.

Los omaguacas fueron los primeros afectados por la

penetración española. Al mando del *cacique Viltipoco* las distintas parcialidades unidas enfrentaron con éxito a los primeros contingentes conquistadores, y destruyeron incluso las primeras ciudades como la de Nieva (1562).

Los choques posteriores comenzaron a alternarse con el régimen de encomiendas y aun con los traslados forzados, especialmente hacia la actual Bolivia.

La fundación de San Salvador de Jujuy a fines del siglo XVI afianzó el poder español en la quebrada de Humahuaca, y se logró el dominio de las comunidades del área.

A través de la sucesiva fundación de pueblos, los españoles fueron desalojando a las comunidades indígenas de sus territorios, empujándolos hacia zonas periféricas. Algunos se incorporaron al sistema de encomiendas impuesto por el español, cuando fracasaba su resistencia.

Uno de los métodos más utilizados por el español para el desalojo de los indígenas era el envío de ganado vacuno y caballar hacia los campos de cultivo diaguitas, que eran destruidos en una noche. Con esta sencilla maniobra, los indios se veían privados de sus cultivos y obligados a retirarse a nuevas tierras, mientras que las originales pasaban a propiedad del conquistador.

La rebelión de los diaguitas

Entre los diaguitas la resistencia organizada empezó tardíamente, a partir del año 1630, en momentos en que el mestizaje como proceso cultural comenzaba a ser importante. El sentimiento de desarraigo provocado por el nuevo régimen impuesto en las encomiendas, y el intento por recuperar las tierras y el pasado original, deben de haber sido los detonantes de lo que se conoce como el “primer alzamiento diaguita”.

Lucharon entre los cerros, donde no podía llegar la temida *caballería española*, evitando el combate frontal en los valles. Los españoles estaban en condiciones de sostener un enfrentamiento prolongado ya que contaban con ciudades claves como Salta, Santiago del Estero, La Rioja y Tucumán además de muy buenas caballadas. Aun así, no pudieron impedir que los indígenas sublevados, al mando del *cacique Chalimin,* se hicieran dueños del valle.

La supremacía diaguita continuó hasta 1637, cuando Chalimin fue tomado prisionero y ejecutado. A partir de ese momento, los grupos rebeldes fueron entregados en encomiendas en su gran mayoría. El resto mantuvo escaramuzas aisladas hasta que fueron definitivamente sometidos en 1643.

Durante siete años, los diaguitas dominaron un gran sector del Noroeste, comprendiendo partes de las provincias de Catamarca, Tucumán y Salta, con base en el valle de Hualfín en Catamarca.

El "segundo gran alzamiento" diaguita se produjo en 1655 cuando un extraño personaje español, Pedro Bohorquez, asegurando ser descendiente de los incas, llevó a los diaguitas a combatir por la recuperación del trono de los antepasados. Paralelamente negoció con los españoles, a quienes les prometió los tesoros indígenas.

El impostor fue ejecutado en 1667, pero hasta entonces, los diaguitas mantuvieron bajo ataque a los españoles. Al fin fueron sometidos, y muchas comunidades desarraigadas para siempre, como el caso de los quilmes, cuyo traslado forzado al actual territorio de la provincia de Buenos Aires dio origen a la ciudad homónima.

Guerra a muerte en la tierra de comechingones y sanavirones

Las Sierras Centrales fueron también escenario de la resistencia. Sólo con la fundación de Córdoba (1573) los comechingones fueron sometidos al régimen de encomiendas, al igual que los sanavirones. La tradición guerrera de estas encomiendas se hizo sentir en la resistencia contra el conquistador. Entre los comechingones y sanavirones, la guerra fue casi un acto cotidiano, con un contenido religioso: tenían danzas propiciatorias dirigidas por el chamán, lugares sagrados en donde encontrar el apoyo de los dioses, y contaban con la protección divina de la luz lunar. La causa más común de los enfrentamientos era la violación de territorios.

En la guerra participaba toda la comunidad: los guerreros combatían y el resto (mujeres, niños, ancianos e impedidos) se ocupaba de la provisión del alimento y del sostenimiento del armamento.

Supieron aprovechar las características geográficas de la zona, ya que usaron las serranías para defenderse en las cimas de los ataques españoles (táctica defensiva) como asimismo los desfiladeros para atacar a la caballería, encajonándola (táctica ofensiva).

Aunque los primeros encuentros fueron desastrosos para el invasor, esta guerra total produjo un rápido desgaste en la población indígena y la llevó al sometimiento final. Los orgullosos comechingones y sanavirones pasaron a ser reducidos al régimen de encomiendas a medida que la rebelión fue decreciendo en intensidad.

No pasarán: los hombres-tigre en acción

El Chaco, territorio de paso hacia el río de la Plata para los conquistadores que bajaban desde el Perú, se convirtió en un obstáculo insuperable por la presencia de los *chiriguanos*, ubicados en los límites con la Montaña.

Cien años antes, estas comunidades habían detenido el avance incaico. Los chiriguanos habían convertido a todo el territorio comprendido entre Santa Cruz de la Sierra en Bolivia y el Chaco salteño en una fortaleza de las culturas originarias. Guerreros por tradición, considerados a sí mismos como hombres-tigre, tenían bajo un dominio absoluto a las otras culturas del área.

El español intentó utilizar a estas mismas poblaciones en contra de los chiriguanos, con lo que la región se volvió escenario de violentos combates. En muchas oportunidades los indígenas realizaban trueques, entregando a sus esclavos y recibiendo a cambio armamento que en algunos casos y según las parcialidades llegó a ser pólvora y arcabuces. Los españoles utilizaban a los cautivos así recibidos como mano de obra en las minas de Potosí.

Los guaikurúes, líderes de la oposición en el Chaco

Los guaikurúes resistieron con fiereza en el interior del Chaco. Los españoles realizaron "expediciones de castigo", que si bien no fueron profundas, provocaron un desgaste cada vez mayor entre las comunidades. Fue el caso de los abipones, que obligados a la celebración de continuos tratados de paz poco a poco quedaron aislados.

A pesar de este hostigamiento, el territorio se mantuvo libre. Los españoles no tuvieron un plan a largo plazo para conquistar el Chaco, y la resistencia indígena desalentó sus esfuerzos.

Las expediciones de los conquistadores se prolongaron desde 1521 hasta la desaparición del dominio español en América. Lo más que lograron fue rodear el bastión indígena con ciudades fundadas para lanzar desde ellas un asalto final que nunca pudieron llevar a cabo.

Guaraníes y querandíes rechazan los desembarcos

En la Pampa y en el sur del Litoral y Mesopotamia, los querandíes y guaraníes rechazaron los primeros desembarcos españoles y trataron de impedirles navegar por el Paraná.

Solís, muerto al llegar al río de la Plata en 1516, probablemente cayó en manos de los guaraníes, quienes retuvieron a uno de los primeros cautivos de que se tenga noticia en la Conquista: Francisco del Puerto, rescatado por Gaboto diez años más tarde.

Estas primeras expediciones hicieron nacer el mito español de las "Sierras del Plata", originado en los relatos de las comunidades de los ríos y corroborado por algunos objetos que se encontraron. La codicia lanzó a los españoles a la busca obsesiva de un paso navegable que comunicara con el Perú.

En 1535 llegó al Río de la Plata una de las más poderosas expediciones lanzadas por España, al mando de Pedro de Mendoza, con más de diez naves y cerca de 2.500 hombres. Al año siguiente se fundó "Nuestra Señora de Santa María del Buen Aire", asediada desde el primer momento por los querandíes, que destruyeron los puestos de avanzada que rodeaban la ciudad forzando su evacuación total.

La expedición de Mendoza terminó en un fracaso estrepitoso, pero dejaron en esta tierra alrededor de cien yeguas y caballos que se internaron en las praderas. Allí los esperaban los guerreros tehuelches, que aprendieron a domarlos y montarlos, lo que produjo una completa transformación de su cultura.

Durante unos años ese territorio permaneció libre, hasta que Juan de Garay, con la consigna de "reabrir la puerta de la tierra" fundó por segunda vez Buenos Aires en 1580, trayendo para ello a setenta familias españolas y mestizas, sumadas a familias guaraníes prove-

Los indios (querandíes) atacan a Buenos Aires. *Grabado de Hulsius incluido en el* Viaje al Río de la Plata *de Ulrico Schmidl, 1599. Schmidl, soldado mercenario alemán, acompañó a Pedro de Mendoza en la fundación de Buenos Aires, 1536.*

nientes de Asunción. Los querandíes atacaron una vez más pero fueron rechazados con grandes pérdidas, entre ellas las del *cacique Tabobá*. Hicieron una última tentativa en 1583 al enterarse de la muerte de Garay a manos de otras parcialidades querandíes en el río Paraná, pero también fueron rechazados.

La heroica estrella querandí se fue apagando. Durante veinte años sus comunidades raleadas por los continuos combates se fueron diluyendo entre los grupos tehuelches, cuando no se extinguieron lentamente hasta desaparecer.

Una realidad en transformación

Los Conquistadores pusieron en práctica algunos mecanismos que les permitieron reorganizar a su gusto los territorios ocupados. Ellos fueron la ciudad, el trabajo impuesto y la evangelización.

La ciudad

Con la llegada de los españoles, el continente americano cambió en la distribución de sus habitantes, por la matanza o extinción de los indios, por sus desplazamientos de un lugar a otro, y por la aparición de las ciudades.

La ciudad española recién fundada fue el nuevo núcleo de población. Los conquistadores instalaban en ella a sus familias, era el centro de la vida rural de la zona y por sobre todo era el cuartel general donde se afianzaba día tras día el proyecto colonizador.

El trabajo impuesto

Una vez fundadas las ciudades, el conquistador comenzó a extraer las riquezas de la tierra. El ganado y el azúcar encontraron en América condiciones óptimas para su desarrollo. Las plantaciones de caña por ejemplo se extendieron rápidamente y junto a ellas surgieron las de otros productos como el cacao. Estos cultivos intensivos expulsaron a la población indígena que en muchos lugares comenzó a ser reemplazada por mano de obra africana en calidad de esclava.

Así fue avasallada la propiedad indígena, y también por causa de la multiplicación descontrolada de la ganadería en algunas zonas.

En una segunda etapa los nuevos ocupantes desalojaron a los indios de los suelos más ricos y los arrinconaron en zonas periféricas.

Pero allí adonde pudo, el conquistador incorporó al indígena a las nuevas actividades productivas. El conquistador necesitaba de todo. Alimentos y minerales. El ansiado oro y la no menos codiaciada plata. Necesitaba que le cuidaran los ganados. Necesitaba constructores. Necesitaba que se ocuparan de sus campos de cultivo. Mientras se dedicaba a expandir el esfuerzo colonizador, necesitaba brazos que trabajaran para él y los encontraba en las comunidades indígenas. Sobre ellas recaería una pesada organización, centrada en el tributo y las encomiendas.

En el año 1500 los indígenas americanos fueron considerados vasallos libres de la Corona de Castilla y a partir de entonces debieron pagar un *tributo* en dinero o en especies de acuerdo con las características de cada territorio. Debían pagarlo al Rey, o bien a los encomenderos, si dependían de ellos, todos los indígenas comprendidos entre los 18 y 50 años, a excepción de algunos caciques y, según los casos, las mujeres.

La *encomienda* consistía en la reunión de un conjunto de familias y grupos de indios con sus caciques incluidos, que pasaban a depender del ahora "funcionario encomendero" (antes conquistador), que estaba obligado a la protección y la evangelización —a cargo del misionero— de los indígenas. Quedaba comprometido con su Rey para servir como soldado cuando este así lo requiriese. Al vencer el plazo del contrato (cuando no era de por vida) la comunidad encomendada pasaba a manos de la Corona. Por su parte, el encomendero tenía el derecho a disfrutar de los "servicios personales" de los indígenas.

La *mita* fue probablemente una adaptación española del sistema incaico de trabajar por turnos en las minas; pero lo que entre las culturas indígenas tenía un sentido de trabajo comunitario, en los primeros tiempos de la Conquista y Colonización pasó a ser un mecanismo de sometimiento a través de prolongados y agotadores períodos en las minas o campos de cultivo que provocaba muertes masivas y prematuras.

Finalmente el *yanaconazgo* era un régimen aún más extremo, aplicado por lo general a indígenas aislados, dispersos, sin jefatura, que pasaban a dominio del encomendero casi en calidad de esclavos. Allí, el denigrante "servicio personal" alcanzaba su máxima expresión.

Una de las funestas consecuencias del trabajo impuesto fue la conmoción sufrida en el mundo indígena a causa de un hecho clave: *la pérdida de la tierra*. La tierra no es para el indio sólo una posibilidad de subsistencia o el hogar sino su apoyo existencial. La tierra posibilita el trabajo colectivo de la comunidad; el afianzamiento de los lazos de solidaridad; la continuidad y el crecimiento de los núcleos familiares; la elección de los sitios sagrados y festivos; la relación sagrada con la naturaleza circundante; la definición del mundo.

La Evangelización

La política de los Reyes Católicos consistió en asociar en la empresa colonizadora a los dos poderes, la Corona y la Iglesia. A medida que las ciudades se consolidaban, se iban instalando el convento, el curato, el obispado. En el actual territorio argentino la Iglesia Católica entró junto con los conquistadores y ya en 1570 se creó la diócesis de Tucumán con sede en Santiago del Estero.

En la Montaña, donde más fuerte fue la resistencia indígena, los franciscanos comenzaron de inmediato su acción evangelizadora, sobre todo entre las comunidades más pacíficas como los tonocotés y los lules, y entre las que después de los primeros enfrentamientos iban cayendo sometidas al nuevo régimen; fue el caso de las

Marinero francés y una familia patagona. *Grabado según Dom Pernetty, capellán de la expedición de Bougainville a las islas Malvinas en 1765. Durante varios siglos los patagones (tehuelches) fueron considerados "gigantes" por los viajeros europeos.*

parcialidades ocloyas de los omaguacas, aunque los franciscanos tuvieron que disputárselas a los jesuitas. La evangelización comenzó a *diluir la cultura indígena,* al fortalecer los sentimientos de mansedumbre, respeto a la nueva religión y obediencia generalizada.

El Chaco fue también territorio hostil para el cristianismo. Los jesuitas penetraron a partir de 1639 y su tarea fue completada por los franciscanos. Consiguieron acercarse a los abipones, pero no a los tobas y mocovíes que desde entonces lucharon aliados contra las reducciones.

Los chiriguanos también resistieron la evangelización en la primera etapa (siglo XVII) que estuvo a cargo de los jesuitas. Con la posterior llegada de los franciscanos las relaciones se fueron haciendo más amistosas, y poco a poco los intereses religiosos se fueron imponiendo, en la medida en que la marginación y el hambre disminuyeron la energía para continuar la resistencia.

En la región de Pampa y Patagonia la evangelización tuvo que esperar hasta el siglo XIX, cuando la resistencia indígena se quebró en forma definitiva.

Pero fue en el Litoral y la Mesopotamia donde la nueva religión, junto con las comunidades originarias, crearon una situación cultural realmente única.

Guaraníes y jesuitas

En 1607 la Compañía de Jesús creó la provincia jesuítica del Paraguay y el padre Diego de Torres, secundado por varios misioneros, acordó con el gobernador Hernandarias que realizaría expediciones de "aproximación" a las comunidades guaraníes, guaikurúes y tapes. Si eran convertidas, estas comunidades quedarían liberadas del servicio personal.

A partir de 1610 se fundaron numerosos pueblos en una extensa región que comprendía las actuales provin-

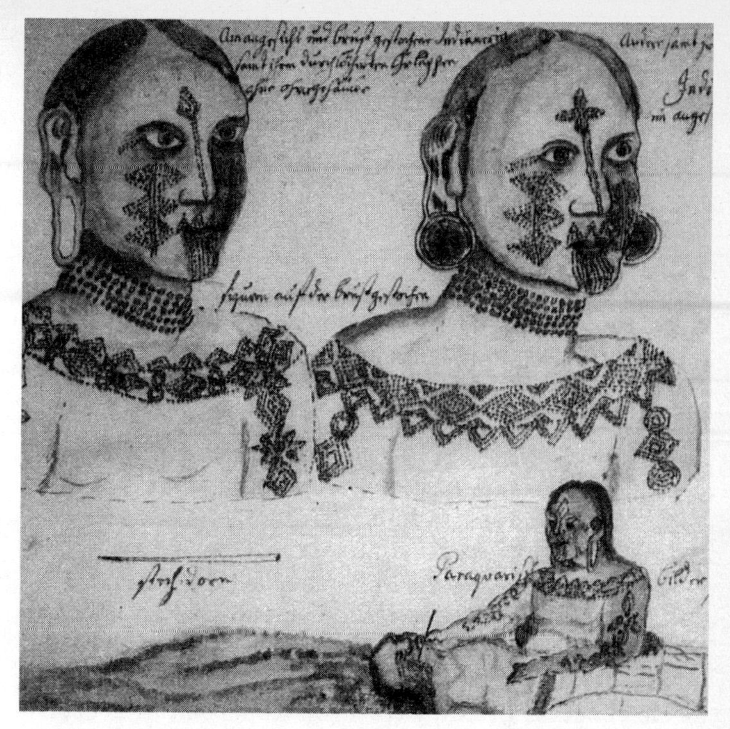

Tatuajes de los mocobíes. Dibujo acuarelado del padre jesuita Florian Paucke, c. 1750.

cias de Misiones, Corrientes, Santa Fe, Chaco y Formosa, parte de Brasil y Uruguay. La organización guaraní-jesuítica se fue transformando en una "cultura regional" nueva, basada en un conjunto de factores:

- la tierra no era propiedad de nadie;
- las misiones tenían autonomía política respecto de la Corona y los conquistadores;
- los indígenas no prestaban servicio personal;
- las misiones tenían fuerzas militares propias;
- se autoabastecían.

La expulsión de los jesuitas en 1767 interrumpió este proceso singular, que había comenzado con el acercamiento mutuo y el establecimiento de una relación cada vez más estable, a partir de los contactos entre los misioneros con los caciques y del aprendizaje de la lengua aborigen. Los indígenas fueron incorporándose por propia decisión a un nuevo tipo de vida que al menos les garantizaba una relativa autonomía y una esperanza nunca olvidada: la recuperación de una libertad plena.

Los pueblos guaraní-jesuíticos estaban ubicados en el centro de enormes extensiones de tierra cultivada, que era de dos tipos: el primero era *el tupambae (tupa: Dios; mbae: cosa perteneciente, posesión, propiedad)*, la hacienda de Dios, la hacienda de los pobres. Era la tierra comunitaria cultivada por todos y de cuyos productos todos disfrutaban. El segundo era el *abambae (aba: hombre, indio)* reservada a cada indígena y su familia, para su usufructo particular.

Los guaraníes de las misiones participaron en docenas de expediciones de vigilancia, recorrieron las fronteras cuidando las posesiones de la Corona especialmente de los ataques de los "bandeirantes" que venían desde el actual Brasil, y trataron de perpetuar el espíritu comunitario original.

El mestizaje

En algunos lugares se dio una aproximación no violenta entre indígenas y españoles. Así sucedió en el Noroeste, con los tonocotés, algunas parcialidades lules y especialmente los huarpes. Con el decidido apoyo indígena se sucedieron las fundaciones de Mendoza (1561), San Juan de la Frontera (1562) y San Luis de la Punta (1596).

Otra región favorecida por el encuentro cultural fue el Litoral; allí el proceso de unión pacífica tuvo por centro a Asunción, donde los padres españoles y las madres guaraníes dieron origen al pueblo paraguayo.

¿Cuáles fueron las causas del mestizaje? En primer lugar, estuvo la política poblacional española (contraria a la inglesa) que incluye al indígena en lugar de separarlo; segundo, la buena disposición de ciertas comunidades indígenas a integrarse; y tercero, el hecho de que en los primeros tiempos de la Conquista no vinieron mujeres españolas.

La mujer india actuó en el mestizaje como preservadora de la cultura originaria; sus hijos ya no eran exclusivamente indígenas, pero tampoco eran españoles. Formaban un nuevo tipo humano: el *mestizo*, con el que conviviría el *criollo*, hijo de los conquistadores con mujeres españolas, pero nacido aquí. A ellos se agregó posteriormente la población de origen africano llegada a través del comercio de esclavos. De ellos nacieron los mulatos (hijos de español y negro) y los zambos (hijos de negro e indígena).

UN MUNDO CONVULSIONADO

Pero es indudable que el encuentro cultural en muchos casos no fue natural, no fue deseado, y el mestizaje un resultado forzado. Así se produjo la paulatina disolución de las culturas originales indígenas, perdidas en un reordenamiento de sus sociedades que no les daba tiempo a centrarse sobre sí mismas. No sólo actuaba la pérdida de sus territorios, sino el aluvión de objetos nuevos: la rueda, para el transporte; el arado para transformar los cultivos; las armas terribles; los nuevos alimentos (trigo, cebada, azúcar, cebolla, ajo); los nuevos animales (caballos, vacas, mulas, cerdos); todo ello, sumado a la acción de la Iglesia, transformó profundamente el mundo indígena.

El catolicismo que las misiones difundieron por toda América también se transformó, al entrar en contacto con las religiones nativas; se crearon cultos particulares, que hoy siguen viviendo con gran fuerza a través de la llamada religiosidad popular.

Los coletazos de la resistencia

Tobas y matacos, los rebeldes de Túpac Amaru

En 1780, el Cuzco y sus alrededores se conmovieron con una gran rebelión de indios, conducida por un hombre legendario: José Gabriel Túpac Amaru. El enfrentamiento con el español y sus ejércitos fue total, combatiéndose durante seis meses. Túpac Amaru propugnaba la autonomía indígena, la expulsión de los funcionarios españoles, la eliminación de toda forma de explotación y la liberación de los esclavos.

Pero los rebeldes fueron derrotados en abril de 1781, y los cabecillas ejecutados, entre ellos Túpac Amaru, quien fue cruelmente torturado antes de morir.

La insurrección tuvo vastos alcances. Continuó en Perú, Bolivia y llegó hasta nuestro territorio. Se registraron algunos alzamientos en parcialidades diaguitas, que fueron rápidamente neutralizados. Los tobas, confinados en Jujuy, se rebelaron en febrero de 1781, junto a grupos de matacos provenientes del Chaco. Los españoles respondieron con violencia obligando a los indios a retirarse al interior del monte con grandes pérdidas.

El último esfuerzo de tobas y matacos se apagó definitivamente hacia 1785 cuando el alzamiento fue nuevamente reprimido. Los sublevados fueron sometidos a juicio sumario. Diecisiete cabecillas fueron condenados a muerte (algunos de ellos torturados previamente); otros dieciséis a ser quintados y estampados a fuego en la cara con la letra "R" de rebelde. En cuanto a los matacos, sufrieron una matanza de escarmiento de noventa de los suyos, incluyendo doce niños y trece mujeres.

Otra vez los chiriguanos

Más al norte, en el límite con Bolivia, a la vera del río Pilcomayo, se producen las últimas rebeliones de los chiriguanos.

El gobernador de Cochabamba, Francisco de Viedma, decide en 1800 iniciar operaciones con una fuerza de más de mil hombres. La expedición se dedica a destruir los poblados indígenas. En 1805 el gobernador de Potosí, Francisco de Paula Sanz, al mando de casi dos mil hombres lleva adelante la política de tierra arrasada: entrada en los poblados, incendio y destrucción de las "piruas" de maíz (reservas de alimentos enterradas), envenenamiento del agua y, cuando los encontraban, muerte a los indígenas.

Sin embargo, la enconada resistencia y cuando pudieron la contraofensiva de los indios, terminó por desmoralizar y hacer retirar a los españoles.

Aquí la resistencia tuvo éxito. Las comunidades chiriguanas, con mucho esfuerzo, preservaron su identidad hasta nuestros días.

El eclipse de los guaraníes en el Litoral

En 1750 en compensación por la Colonia del Sacramento que pasaba definitivamente a poder de España, ésta entregó a Portugal todo el territorio correspondiente al Estado de Rio Grande do Sul, en el que se encontraban siete pueblos de las Misiones Jesuíticas. Indios y misioneros deberían trasladarse, abandonando en manos de los portugueses "todas sus casas, iglesias y edificios y la propiedad y posesión de la tierra".

Los guaraníes rechazaron la medida, enfrentándose a Gómez Freire, gobernador de Río de Janeiro.

La sucesión de combates conocida como *guerra guaranítica* se mantuvo durante años.

Los siete pueblos fueron escenario de una paulatina decadencia, producto de la violencia.

La evacuación de los guaraníes se produce poco a poco, y los fugitivos fueron a engrosar el caudal humano de otros pueblos ubicados en los actuales territorios argentino y uruguayo.

En 1759, el nuevo rey Carlos III, declara nulo el tratado y convoca a los guaraníes expulsados a regresar a sus hogares, pero ya el desastre estaba consumado.

CAMBIO CULTURAL EN LA LLANURA: LOS INDIOS TOMAN EL CABALLO

La expedición de Pedro de Mendoza había dejado en esta tierra, entre otras pertenencias, alrededor de cien yeguas y caballos que se internaron en las praderas. Y se multiplicaron en forma vertiginosa. Los primeros grupos de tehuelches que se toparon con ellos los amansaron hasta hacerlos suyos. La unión hombre-caballo fue desde entonces una poderosa combinación que actuó como un motor del cambio en la cultura.

Antes de disponer de caballos, el territorio de estos indios era reducido a consecuencia de la falta de movilidad. Después, el territorio se expandió en forma notable. También aumentó el número de indios que formaban cada grupo; llegó a haberlos de quinientos individuos. Las técnicas de caza colectivas se organizaron mejor, perfeccionándose con cercos de fuego y rodeo de ani-

Invasión de indios *(malón)*. *Grabado de Leon Pallière del* Álbum Pallière Escenas americanas, *1864.*

males. Los caciques se hicieron más fuertes. La organización para la guerra cambió a partir del uso de nuevas armas, ofensivas (como la lanza que reemplaza al tradicional arco y flecha) y defensivas (la armadura de cuero de caballo). La caza fue poco a poco suplantada por la depredación, porque las bandas se acercaban a los poblados para robar el ganado que por aquella época también se había reproducido en grandes cantidades.

Relacionado con el anterior, se dio un cambio en el rol de la mujer tehuelche. Comenzó a ocuparse más de las tareas de su grupo familiar y de la actividad de los toldos en general, liberada ahora de ser el medio de transporte de los enseres comunitarios, que quedó a cargo de los caballos.

En el centro de estos cambios, el incomparable adiestramiento de los caballos indígenas permitía a los guerreros tener ventaja sobre sus enemigos y al mismo tiempo garantizar una adecuada defensa de la vida comunitaria.

El Chaco pasó por una situación semejante. Los tobas, mocovíes y abipones incorporaron el caballo en la primera mitad del siglo XVII, lo que provocó importantes cambios en sus hábitos de vida. Las tradicionales actividades de caza y recolección perdieron importancia, y la economía se basó en el robo de grandes rebaños de ganado vacuno y caballar. A esto se sumó el aporte de las tareas agrícolas, que realizaban sus cautivos.

Los guaikurúes, una vez que dispusieron de caballos, intensificaron la guerra contra el español en sus enclaves de Santa Fe, Corrientes y Santiago del Estero, e inclusive contra sus hermanos mataco-mataguayos, que al igual que los onas en el sur, en ningún momento incorporaron el caballo.

Las aldeas se fortificaron con empalizadas, y cambió el armamento, tanto el ofensivo (la lanza) como el defensivo (armaduras de cuero). Las armas de fuego se fueron incorporando de a poco y su uso se hizo corriente en el siglo XIX. Aumentó la importancia de los caciques y los guerreros, y en general se hizo más fuerte la organización social.

SIGUE EL CAMBIO CULTURAL EN LA LLANURA: LLEGAN LOS ARAUCANOS

Volvamos a la Pampa y a sus tehuelches.

Por si los cambios fueran pocos, ahora comenzaban a llegar desde el otro lado de la Cordillera de los Andes, en el actual Chile, los araucanos.

Al pueblo araucano lo componían tres grupos: picunches (norte), mapuches (centro) y huilliches (sur). Todos fueron cultivadores, especialmente de maíz y papa. Practicaban también la caza (pumas, guanacos, aves) y la pesca, especialmente en la zona de Chiloé. Se dedicaban además a la cría de llamas, de las cuales utilizaban la lana para la vestimenta.

Sus aldeas eran pequeñas, pero las viviendas (*rucas*) eran de gran tamaño, rectangulares y construidas con maderas. Estas aldeas eran la base de la organización social araucana; cada una de ellas estaba al mando de un cacique y un conjunto de aldeas constituía una unidad mayor al mando de un *toqui*, jefe supremo.

Una cultura de guerreros

La actividad bélica estaba muy desarrollada en la cultura araucana, y la estructura social de los jefes, los guerreros, el conjunto de la comunidad y los cautivos, estaba en función de la guerra. Los enfrentamientos internos eran comunes. La mujer era propiedad absoluta del hombre. Los caciques llegaban a tener hasta diez esposas, que eran heredadas, junto con la jefatura, por el hijo mayor o quien lo reemplazara en el cargo.

Sin embargo, esta aparente disminución femenina se contradecía con otros aspectos de la cultura; en efecto: el chamanismo, de notable desarrollo y con múltiples funciones en la comunidad (diagnóstico y cura de enfermedades, interpretación de los sueños, comunicación con las fuerzas sobrenaturales) era desempeñado fundamentalmente por mujeres, de gran prestigio, llamadas *machi*.

Los araucanos creían en la existencia de un ser supremo, Nguenechen, el dueño de los hombres, creador de todas las cosas y dominador de las fuerzas de la naturaleza. Se le dirigían plegarias para solicitarle favores, como comida abundante y vida prolongada: es el rito conocido como *Nguillatún*, que persiste en la actualidad.

Las armas tradicionales eran arcos y flechas, lanzas y unas temibles mazas de madera dura con filos de piedra. Contra los españoles incorporaron armaduras, yelmos y escudos de cuero. Las aldeas se fortificaron mediante la construcción de fosos y empalizadas.

Pisando los umbrales de la tierra tehuelche

La penetración araucana había comenzado desde tiempos prehispánicos, aunque en grupos aislados y pequeños.

A mediados del siglo XVII la migración fue aumentando a partir del comercio con los grupos tehuelches. De a poco los araucanos se fueron incorporando cada vez más a la realidad cultural de Pampa y Patagonia hasta que hacia fines del siglo XVIII tomaron el poder de la región por dos razones principales: la desaparición de los caciques tehuelches en La Pampa y Río Negro y las victorias militares.

Más al sur, en Santa Cruz, el contacto con los araucanos fue pacífico, aunque el mestizaje dio como resultante el predominio de los recién llegados, que en el norte se vió favorecido porque los vencedores en la guerra (los araucanos) tomaron por esposas a mujeres tehuelches.

Este proceso por el cual la cultura araucana penetra primero lentamente y luego en forma decidida y masiva en territorio tehuelche produciendo la absorción cultural de éstos es lo que se conoce como la *"araucanización" de la Pampa.*

LA FRONTERA: LÍMITE CON LOS TERRITORIOS LIBRES INDÍGENAS

El crecimiento de Buenos Aires exigía cada vez más una "campaña" despejada; por otra parte, la expansión de tehuelches y araucanos desde el sur y suroeste, amenazaba a las posiciones españolas.

A mediados del siglo XVIII se hizo más intensa la actividad militar contra los grupos indígenas de la provincia. A partir de entonces hubo avances y retrocesos de ambos bandos, divididos por una franja bien marcada, *la frontera*, que los indígenas trataban de mantener, y los españoles querían llevar cada vez más lejos. Más que límites físicos, esta frontera obsesionante dividía dos mundos en pugna. Más que político-militar, fue una frontera cultural.

Esa frontera se afianzó con la instauración del Virreinato, pero ya existía desde unas décadas antes, con la aparición de los primeros *fortines*. El primero fue el de Arrecifes, levantado en 1736. La línea de fortines fue hasta 1879 el símbolo de esta obsesión. Ese año, con la expedición de Roca, llegó a su fin el equilibrio mantenido durante tanto tiempo.

Los primeros tiempos de la frontera fueron muy difíciles. Las rudimentarias milicias, sin suficientes pertrechos y mal pagas, abandonaban los fortines. Las carretas que les llevaban provisiones eran hostigadas en forma permanente. Los pocos españoles que se atrevían a instalarse en el campo a criar ganado, debían soportar las ofensivas indígenas que en muchos casos llegaban hasta las puertas de Buenos Aires.

En 1752 se fundaron los fortines de Salto, Luján y El Zanjón, sostenidos por las nuevas compañías de Blandengues.

A partir de 1770 se intentó firmar tratados de paz con los indios. En ese año el gobernador Bucarelli celebró un acuerdo con un grupo de caciques araucanos, pero las condiciones eran indignas para los indios: prohibición de pasar el límite de la frontera; responsabilidad por cualquier daño que ocasionaran otros indios, aun cuando no pertenecieran a su tribu; severos castigos —incluida la pena de muerte— si ellos u otros indios arreaban ganado extraviado fuera de la frontera; entrega cada dos meses del hijo de un cacique, en calidad de rehén, para asegurar la paz; y además los obligaban a lograr que el cacique Rafael firmara la paz, caso contrario debían matarlo y entregar su cabeza en Luján.

La mayoría de los indios rechazó estos acuerdos. La geografía estaba a su favor. La llanura era dominio total de tehuelches y araucanos, y devoraba como una ciénaga a los colonizadores que querían ocuparla a toda costa.

Los virreyes en acción

La creciente importancia de las ciudades de esta parte del continente, la peligrosa presencia de Portugal y la necesidad de organizar políticamente los territorios ocupados fueron las razones principales que llevaron a la Corona a crear en 1776 el Virreinato del Río de la Plata.

A partir de 1782, el Virreinato se compuso de ocho intendencias y cuatro provincias, estructura que perduró más allá de la Revolución de Mayo, aunque para los indios sólo figuraba en el papel: toda la llanura seguía siendo territorio libre en poder de las culturas originarias.

El aumento del comercio hacía necesarias vías de comunicación libres de problemas. Los "problemas" eran los indios. Había que hacer algo. O negociar, o empujarlos, o eliminarlos, pero algo y pronto.

Entre otras cosas, se trataba de dejar abierto el camino hacia las Salinas Grandes, fuente de abastecimiento de la sal, producto preciado para todos, incluso para los indios que no por nada se instalaban ya en las inmediaciones de ellas.

Con los virreyes empezó la planificación de la guerra contra el indígena. Pedro de Cevallos, que fue virrey entre 1776 y 1777, elaboró un plan que llamó "entrada general": la idea era realizar una expedición masiva contra las aldeas indígenas, entendiendo que era impostergable que España tomara la ofensiva. Definió a sus enemigos como "canalla de indios despreciables, y abominados aun de los propios de su especie". Pero el plan Cevallos quedó en eso: en plan.

Vértiz (1777-1784), su sucesor, puso el plan de Cevallos a consideración de una comisión de oficiales, que lo rechazó demostrando que los indios tenían una gran movilidad, que no necesitaban demasiadas provisiones y que tenían una resistencia extraordinaria, todo lo cual se oponía a la pesadez y gastos de la tropa colonizadora, que irremediablemente la llevaría a la derrota. De modo que Vértiz prefirió volver al viejo método de fortalecimiento progresivo de la frontera.

En 1781, las fronteras de las provincias de Buenos Aires y Santa Fe estaban custodiadas por doce fortines: Chascomús, Ranchos, Lobos, Navarro, Luján, Areco, Salto, Rojas, Pergamino, Melincué y Esquina. La consigna para estas guarniciones era escarmentar a los indios, "tratándoles como a enemigos implacables y rebeldes", aunque también se procuraba, cuando se daban las condiciones, la negociación pacífica.

La estrategia de Vértiz incluía además la fundación de pueblos, y hubo intentos de penetración de la Patagonia como las expediciones de Viedma y de la Piedra (1779) (fundaron las poblaciones de Carmen de Patagones, Viedma, San Julián) y las llevadas a cabo por Villarino entre 1781 y 1783, quien recorrió los ríos Colorado, Negro, Limay y Collón Curá.

Con los virreyes Loreto (1784-1789) y Arredondo (1789-1794) hubo un período de relativa calma, pero con el siguiente, Melo (1795-1797) se reactivó la lucha por la frontera, aunque a duras penas, a través de arduos tratados con las parcialidades "amigas" y desgastadores enfrentamientos con el grueso de los tehuelches, araucanos y ranqueles.

Amigorena, un cazador de cabezas

Durante la gestión Vértiz, Francisco de Amigorena es designado como maestro de campo de milicias y comandante de frontera y armas de Mendoza, San Juan y San Luis. Empleó todas las estrategias: desde la negociación para la paz hasta las cacerías de cabezas de los caciques, tal como sucedió con la del jefe ranquel Creyo, que fue clavada como escarmiento en el fuerte San Carlos de San Luis. Realizó importantes campañas ofensivas penetrando en reiteradas ocasiones en el territorio de los pehuenches y ocasionándoles muchas pérdidas humanas y materiales. Generalmente quemaba las tolderías. Los tratados eran más que endebles y siempre desfavorables para los indios.

Indios patagones, *grabado incluido en* Glimpses of South America *de Mary Hield, 1882.*

Viajes de reconocimiento

En este momento fueron importantes los viajes de reconocimiento realizados por grupos de españoles que no sólo buscaban las vías de comunicación entre las distintas partes del Virreinato y sus áreas vecinas como Chile, sino que también intentaban atraer la amistad de los indígenas, para que no cortaran el camino de las carretas cargadas de mercaderías. Los exploradores se reunían con los caciques y trataban de convencerlos en favor de una alianza.

Estos viajes sirvieron para obtener datos sobre los territorios libres, y lograron incomodar la normal vida comunitaria, que se veía alertada por la presencia de intrusos a quienes se consideraba como avanzadas de un peligro latente mayor y definitivo.

El Chaco, bastión indígena

Durante siglos el Chaco se mantuvo como territorio libre, transitado y defendido por guerreros guaikurúes, ahora también montados a caballo. Virtual zona de paso, ofrecía la posibilidad de comunicar el Litoral con el Noroeste. Las "entradas" de los españoles fueron sistemáticamente rechazadas, y muchas veces se volvieron como un bumerán, provocando devastadores ataques sobre las ciudades de Asunción, Santa Fe y Corrientes, blancos predilectos de los indígenas.

Las expediciones "punitivas" o de castigo llevadas a cabo durante el siglo XVII no dieron resultado, y ya en 1710 las comunidades guaikurúes estaban unidas y mantenían bajo presión a la frontera. La respuesta no se hizo esperar: el gobernador de Tucumán, Esteban de Urizar, llevó a cabo una poderosa ofensiva con milicias de Jujuy, Tucumán, Salta, Santiago del Estero, Catamarca y Tarija, que sumaban cerca de 2.200 hombres. Aun así, no lograron vencer la resistencia.

A fines del siglo XVIII una treintena de fortines rodeaba el Chaco, concentrados fundamentalmente en la provincia de Santa Fe, territorio predilecto para la actividad guerrera de los guaikurúes, siempre dispuestos a expandirse un poco más.

CAPÍTULO IV

INMERSOS EN UNA REVOLUCIÓN

La Revolución no se limitó exclusivamente al año 1810. Después de esa fecha las transformaciones continuaron: hubo combates contra el español, después la declaración de la independencia, y después las guerras civiles. La Revolución fue también el proceso de una nueva sociedad que se desprendió de su antiguo dominador y que luchó por construir su identidad propia. En ese proceso se enfrentaron unitarios y federales, y aparecieron en la escena social grupos marginados como negros y gauchos, que luchaban por la recuperación de sus valores y tradiciones, aprovechando cierto espacio abierto después del sometimiento colonial.

En medio de esa convulsión política, social, económica y cultural —fenómeno que se dio en toda Hispanoamérica— en medio de esa tormenta de cambios, nuestras comunidades indígenas trataron de acomodarse como sabían, como podían y como las dejaron.

LAS CULTURAS INDÍGENAS A PRINCIPIOS DEL SIGLO XIX

Entre la llegada de los conquistadores y la caída del poder español pasaron casi tres siglos en los que el territorio argentino y sus habitantes originarios sufrieron gran cantidad de transformaciones culturales.

Las distintas regiones fueron penetradas por el conquistador causando diversos fenómenos: luchas a muerte, mestizajes, sometimiento en el trabajo, encuentro pacífico; en todos los casos, se produjo un trastocamiento de los valores tradicionales.

El cuadro general presenta dos claras tendencias: la primera, la de las *culturas libres*, que seguirán sosteniendo su identidad, incluso fortaleciéndola, como la expresión más auténtica de la forma de vida indígena; la segunda, la de las *culturas incorporadas y/o sometidas*, cuyo núcleo de la montaña y el litoral —especialmente diaguitas y guaraníes— es a pesar del sometimiento base de sustentación del mestizaje, del que surge la nueva cultura hispano-indígena.

En el cuadro que vemos a continuación se presenta la situación general de las culturas indígenas a principios del siglo XIX. Faltaría agregar a los chané, quienes por esta época mantenían una identidad cultural relativa ya que estaban absorbidos por los chiriguanos. En cuanto a los tehuelches, su cultura empezaba a disolverse bajo la incontenible invasión de los araucanos.

En esta época la población del actual territorio argentino llegaba aproximadamente a los 400.000 habitantes. Alrededor de 200.000 eran indígenas. La mitad restante se repartía entre blancos, mestizos y africanos o hijos de africanos (la población negra era importante entonces). Vemos así que la participación de los indios en la formación de nuestra sociedad arranca desde el primer momento del choque con el español, y que fue un protagonista activo de los primeros trescientos años de nuestra historia.

Cuadro de situación de las culturas indígenas a principios del siglo XIX

Culturas libres, continuando con sus patrones de vida tradicionales.	Tehuelches, Araucanos, Guaikurúes, Charrúas y Pehuenches (Llanura); Chiriguanos (Chaco Salteño).
Culturas libres, en proceso de arrinconamiento.	Atacamas (Montaña); Chaná-Timbúes y Caingang (Litoral); Yámana-Alakaluf (Extremo Sur).
Culturas relativamente libres, en vías de incorporación y/o sometimiento.	Mataco-Mataguayos (Chaco).
Culturas "incorporadas" y/o sometidas, base de la matriz hispano-indígena en pleno desarrollo.	Diaguitas, Omaguacas, Huarpes (Montaña); Guaraníes (Litoral).
Culturas "incorporadas" y/o sometidas, en vías de disolución o extinción.	Tonocotés, Lule-Vilelas, Comechingones y Sanavirones (Montaña).

TEHUELCHES CONTRA COLORADOS: LA PARTICIPACIÓN INDÍGENA DURANTE LAS INVASIONES INGLESAS

La primera invasión

En 1806 una fuerza expedicionaria de 1.500 soldados ingleses desembarcó en Quilmes al mando del general Beresford y emprendió la marcha hacia Buenos Aires con el objetivo de tomarla.

Escondidos, grupos de tehuelches vigilaron sus movimientos y los siguieron a distancia, hasta que pudieron confirmar sus intenciones. Las casacas de los invasores brillaban al sol. Por eso los tehuelches los llamaron "los Colorados".

En menos de cuarenta y ocho horas los ingleses ocuparon Buenos Aires y durante dos meses fueron los dueños de la ciudad, hasta que la población local, encabezada por Santiago de Liniers, se unió ante los atacantes y logró desalojarlos. El Cabildo, convertido en el nuevo centro del poder desde la huida del virrey Sobremonte, sesionaba continuamente. Y fue el Cabildo el que durante todo el período de la ocupación inglesa mantuvo una relación singular con los tehuelches de la provincia de Buenos Aires, que ofrecieron su apoyo a la gente de la ciudad. Los cabildantes agradecieron el gesto y comunicaron a los caciques que en caso de necesidad recurrirían a su ayuda. Los jefes indios regresaron a los pocos días informando a los cabildantes que habían celebrado la paz con los ranqueles de Salinas Grandes uniéndose contra los ingleses.

El Cabildo agradeció nuevamente los ofrecimientos y antes de terminar el año recibió dos veces más a las "embajadas" indígenas, a quienes se trató de "fieles hermanos", y a quienes se pidió que vigilaran las costas por si el enemigo inglés se atrevía a regresar.

La segunda invasión

Los ingleses desembarcaron nuevamente en 1807. Esta vez eran cerca de diez mil hombres al mando del general John Whitelocke. Pero Buenos Aires estaba preparada y las columnas inglesas fueron derrotadas. Las calles de Buenos Aires se convirtieron en un infierno. El propio general vencido reflexionando luego sobre la furia de los defensores dijo: "Cada casa un cantón y cada ventana una boca de fuego". Los "Colorados" abandonaron definitivamente el Río de la Plata.

Las comunidades indígenas quisieron participar en la batalla contra los ingleses: no se dio la oportunidad de que lo hicieran, pero lo importante es que por un instante, los indígenas, los criollos y los negros estuvieron juntos frente al agresor. Por un instante habían estado del mismo lado, integrando a la nueva sociedad que se estaba conformando.

LA FIEBRE INDIGENISTA

En los primeros años de vida independiente el gobierno de Buenos Aires redactó gran cantidad de decretos, leyes, oficios y disposiciones legales dirigidos a mejorar la situación de las comunidades indígenas. Se procuraba borrar la imagen dejada por la Conquista y atraer al mismo tiempo a esas culturas a la causa revolucionaria.

La idea de la integración tenía antecedentes prometedores, como la actitud de los indios durante las invasiones inglesas, o el "servicio militar" que cumplían algunos indígenas de la ciudad en los cuerpos de "pardos y mulatos". Y no olvidemos que ya en la petición del 25 de Mayo de 1810, que llevaba más de cien firmas y por la que se constituyó el Primer Gobierno Patrio, figuraban dos caciques.

Las principales disposiciones

Pocos días después de la Revolución, el 8 de junio, la Junta convocó a los oficiales indígenas que estaban desde hacía tiempo alistados en los cuerpos de Pardos y Mulatos. Una vez reunidos ante el secretario Mariano Moreno (doctorado en Chuquisaca con una tesis sobre el servicio personal de los indios) escucharon la Orden del Día, que disponía su igualdad jurídica, incorporándolos a los regimientos de criollos, sin diferencia alguna y con igual opción a los ascensos.

Manuel Belgrano, vocal de la junta, tuvo a su cargo redactar leyes para las comunidades guaraníes que pertenecían al régimen jesuita, y estableció que sus habitantes eran libres e iguales "a los que hemos tenido la gloria de nacer en el suelo de América", al mismo tiempo que los habilitaba para todos los empleos civiles, políticos, militares y eclesiásticos.

En 1811 una nueva orden de la Primera Junta dispuso que cada intendencia nombrara representantes indígenas, y la *Gaceta* de Buenos Aires del 24 de enero comentaba esta disposición, afirmando que según nuestra jurisprudencia, "el indio es ciudadano y se halla bajo la protección de las leyes".

El paso siguiente fue uno de los más revolucionarios acometidos por los gobiernos patrios: la supresión del tributo, "signo de la Conquista" y símbolo del sometimiento indígena. El decreto que ponía fin al tributo fue sancionado por la Asamblea General del año 1813, que además procedió a la abolición de la mita, la encomienda, el yanaconazgo y todo servicio personal, declarando que los indígenas eran hombres libres e iguales a todos los demás ciudadanos. Esta medida, alimentada de la ideología de la Revolución Francesa, constituyó junto con otras de la Asamblea, el fundamento jurídico de la igualdad ante la ley y la abolición de toda forma de esclavitud o discriminación. Fueron también la base de las futuras disposiciones de la Constitución Nacional.

SALINAS GRANDES: LA BASE DE OPERACIONES DE LOS INDIOS

Las "Salinas Grandes" están ubicadas al este de la actual provincia de La Pampa en los límites con la de Buenos Aires. Desde su "descubrimiento" en 1770, los virreyes organizaron expediciones anuales a este rico yacimiento que permitía el abastecimiento de sal a la ciudad puerto. El lugar estaba lleno de sal... y de indios, especialmente tehuelches y araucanos, que habían tomado posesión del lugar mucho tiempo antes. Los virreyes debían pedir permiso a los caciques para entrar en las Salinas, y pagarles con regalos.

La expedición de García, el "diplomático"

El gobierno revolucionario de 1810 advirtió la importancia de las Salinas y envió al coronel Pedro García al mando de una expedición de reconocimiento. El objetivo era explotar la sal, pero también buscar aliados entre los indígenas que permitieran al nuevo gobierno pacificar la frontera y fomentar su poblamiento.

García no imaginaba por entonces que con esa misión iniciaba un camino personal sembrado de numerosos entendimientos con las comunidades indígenas, que lo llevaría a convertirse para muchos caciques en uno de los pocos interlocutores válidos entre los "cristianos".

Viajó con 80 soldados, unos 300 comerciantes y peones, 234 carretas, 3.000 bueyes y 500 caballos. Sorteando infinidad de obstáculos (deserciones, accidentes, tormentas, enfermedades, muertes, y básicamente la "compañía" constante y amenazante de los indios) los expedicionarios completaron en dos meses la misión, regresando a la Guardia de Luján —su punto de partida— cargados de "fanegas" de sal.

La expedición recogió importantes datos geográficos

y culturales. Se reconoció un territorio prácticamente virgen para el nuevo gobierno, se establecieron acuerdos con algunos caciques y se estudiaron las posibilidades para un plan colonizador de largo alcance. La marcha de García abrió el camino a las posteriores medidas del gobierno vinculadas con la exportación de carnes saladas, y también introdujo en el territorio indio una profunda cuña de penetración, basada entonces en el diálogo, pero utilizada después para la guerra a las comunidades de la llanura. Aun así, desde los asentamientos de Salinas Grandes, convertida en una verdadera base de operaciones, los "principales de la tierra" mantendrían su dominios por muchos años más.

NUESTROS PAISANOS LOS INDIOS (EL PENSAMIENTO DE SAN MARTÍN)

En 1814, el Director Supremo del Río de la Plata, Gervasio Posadas, nombró gobernador intendente de Cuyo al general San Martín, con el objetivo de liberar a Chile y Perú del dominio español. El paso de los Andes se convirtió así en un inmenso desafío, porque necesariamente por allí habría que trasladar a un gran ejército.

El hervidero cuyano

El flamante gobernador logró que la región se aislara del turbulento panorama político del resto del país, concentrándose en la titánica empresa emprendida. Nacía una "industria de guerra", alrededor de la cual se enriquecieron las tareas tradicionales y se crearon otras. La agricultura regional de monocultivo (vid y frutales) se intensificó y diversificó, realizándose diversas obras de riego artificial que aumentaron notablemente la pro-

Indios pampas. *en el mercado de la plaza Lorea (hoy Av. Rivadavia), Buenos Aires. Acuarela de E. E. Vidal, 1818 (detalle).*

ducción. La minería, decadente antes de 1814, cobró nuevas fuerzas. La necesidad de vestir a los soldados llevó a la creación de una fábrica de paños para los uniformes.

La movilización humana fue igualmente importante, y contribuyeron a ella todas las clases sociales sin excepción y aun los extranjeros (emigrados chilenos e ingleses) que habitaban en Cuyo. Las comunidades indígenas no quedaron ajenas a estos preparativos.

La participación de los pehuenches

San Martín trató de lograr una buena relación con los caciques de la región y conseguir a través de ellos confundir al enemigo en Chile, haciéndole creer que atravesaría los Andes por los pasos del sur cuando en realidad lo haría mucho más al norte. En Santiago incluso corrió la voz de que los propios araucanos se habían aliado al general argentino.

Durante más de una semana, San Martín llevó a cabo un "parlamento" con los pehuenches del sur de Mendoza, indios muy influenciados culturalmente por los tehuelches y los araucanos.

En aquellos días de septiembre de 1816, San Martín convivió con las comunidades indias buscando su participación activa en el proyecto del cruce de los Andes y ocupándose muy bien de identificarse con ellos, como les confirmó pocos meses después cuando una delegación indígena le devolvió la visita en el campamento del Plumerillo.

Las informaciones de la época dan cuenta de que *reunidos el general y los caciques en círculo, sentados en el suelo*, aquel les dijo por intermedio del lenguaraz Guajardo:

"Los he convocado para hacerles saber que los españoles van a pasar del Chile con sù Ejército para matar a todos los indios y robarles sus mujeres e hijos. En vista de ello y como *yo también soy indio* voy a acabar con los godos que les han robado a Uds. las tierras de sus antepasados, y para ello pasaré los Andes con mi ejército"... "Debo pasar los Andes por el sud, *pero necesito para ello licencia de Uds. que son los dueños del país"*.

Los jefes indios prorrumpieron en alaridos y aclamaciones al "indio" San Martín, a quien abrazaban prometiéndole morir por él.

San Martín y los indios como hermanos

La actitud de San Martín es muy interesante. El modo en que se dirigió a los indígenas fue positivo, pues intentaba un acercamiento cultural por encima de las diferencias existentes. En más de una oportunidad —inclusive en sus comunicaciones oficiales— los reconoció como los dueños de las tierras.

La experiencia realizada en Cuyo marca el punto más alto de un rol de San Martín que, si se hubiera profundizado, tal vez les habría dado a las comunidades indígenas mayores posibilidades de integración plena. En esta línea de acción que concebía a *los indígenas como compatriotas*, el nombre de San Martín, si el Libertador hubiera permanecido en el país, se habría sumado a los nombres de algunos de los hombres de la Revolución de Mayo —Castelli, Moreno, Belgrano—, al de Dorrego, al del coronel García, o al de Rosas en la mayor parte de su actuación política, por mencionar sólo algunos.

Hechos posteriores, como la legendaria Orden General de 1819 en que se hace mención de *nuestros paisanos los indios* no hacen sino ratificar este pensamiento del Libertador. Algún tiempo antes, en Tucumán, San Martín también había impulsado los principales contenidos de las proclamas de la independencia dirigidas a las comunidades indígenas del Noroeste.

La independencia de las Provincias Unidas y las proclamas en lengua aborigen

En julio de 1816 el Congreso de las "Provincias Unidas en Sud-América", reunido en Tucumán, declaró la Independencia de España.

Manuel Belgrano, continuando con la defensa de los indígenas iniciada en 1810, propuso una forma de gobierno en la que se tuviera en cuenta a los herederos de los Incas y a instancias de algunos diputados, las actas del 9 de julio fueron traducidas a las lenguas quichua, aimará y guaraní .

El Congreso decidió la impresión de 3.000 ejemplares del Acta de la Independencia, 1.500 en castellano, 1.000 en quichua y 500 en aimará. Las impresiones se realizaron en Buenos Aires en dos columnas, una en castellano y la otra en la lengua aborigen correspondiente.

Los guaraníes en la lucha de José Artigas

Entre 1811 y 1820 el actual territorio de Uruguay y parte del argentino fueron el teatro de operaciones de una figura excepcional: el general José Gervasio Artigas.

Patriota de la causa revolucionaria contra los españoles, Artigas se convirtió en líder popular de la Banda Oriental, poniéndose en pie de guerra contra el imperio español en retirada y contra el portugués, en constante expansión sobre los actuales territorios de la Argentina y el Uruguay.

Los aborígenes de la provincia de Misiones, descendientes de la población de las misiones jesuíticas, encontraron en la figura de Artigas un estímulo para volver a luchar por sus derechos perdidos. Su jefe fue un mestizo guaraní que había sido uno de los lugartenientes de Artigas: se lo conoció como Andrés Guacurarí y Artigas, o simplemente como el comandante Andresito.

Este singular personaje recuperó la tradición guaraní y logró que por cuatro años las comunidades indígenas se hicieran dueñas de la situación política en una región del país, caso único en el territorio argentino.

En 1815 Andresito Guacurarí fue designado comandante general de Misiones y emprendió su primera campaña, tomando muchos pueblos que pasaron a integrarse a las fuerzas rebeldes, alrededor del cuartel general establecido en Yapeyú.

Al año siguiente recuperó de manos de los portugueses las siete Misiones perdidas en 1801. Hubo una contraofensiva, y se desató una guerra prolongada, en la que Andresito tuvo muchas pérdidas humanas, obtuvo victorias y sufrió derrotas, pero contuvo al enemigo portugués.

En 1818 se apoderó de la ciudad de Corrientes, y su primera medida fue decretar la inmediata libertad de los indígenas sometidos a servidumbre. Además, cumpliendo con el reglamento promulgado por Artigas en 1815, inició el reparto de tierras. Los criollos correntinos se vieron obligados a aceptar estos cambios revolucionarios, pero encontraban escandalosa la situación. *Andresito y su gente son otro mundo. Son indios. Y son indios en el poder.*

Convocado nuevamente por Artigas, partió hacia el norte procurando contener el perpetuo avance portugués. Luego de algunas victorias cayó derrotado en 1819 por el general Chagas, su archienemigo. El cerco se hizo insoportable, y Andresito ordenó a su gente dispersarse.

Quedó solo, hasta que una partida portuguesa lo sorprendió y tomó prisionero. "Artiguinhas", como lo llamaban los portugueses, estaba en sus manos. Fue llevado a la prisión de Porto Alegre y condenado a trabajos forzados. El ejército indio de Andresito se desmanteló: las orgullosas "Fuerzas Occidentales Guaraníes Reconquistadoras" se habían quedado sin jefe y sin alma y se dispersaron por la selva.

Nadie sabe muy bien cómo ni cuándo murió Andresito, aunque los últimos estudios dan cuenta de que fue en la prisión de la isla das Cobras, en el Océano Atlántico, un día de 1822.

LOS GUAIKURÚES Y LA OTRA FRONTERA: EL CHACO

Después de la Revolución de Mayo, la región del Chaco permaneció como territorio libre indígena y los guaikurúes, favorecidos al igual que los tehuelches por la transformación cultural que significó el apropiarse del caballo, expandieron su hábitat y mantuvieron a raya a los poblados.

El "corregidor" Patricio Ríos

Corrientes, Santa Fe, Córdoba, Santiago del Estero y Salta sufrían los peores ataques indios. Los acuerdos entre los abipones y el gobierno de Corrientes no dieron resultado aunque luego se comprometieron a combatir a Patricio Ríos, el máximo cacique rebelde. Pero éste, inicialmente considerado como enemigo, dio un vuelco (1824) con el cambio de gobernador. El nuevo mandatario inició negociaciones, que incluyeron la denominación de "Corregidor" por parte del gobierno provincial.

Estos cambios políticos exasperan a los enemigos de Patricio, especialmente al *abipón Lorenzo Benavídez*, que junto a algunos mocovíes le tendió una celada, provocando una masacre entre hermanos que casi hizo desaparecer a las bandas del cacique rebelde.

A partir de 1830 renace el hostigamiento indígena desde el Chaco hacia las poblaciones de frontera. Tobas y mocovíes en alianza al mando del *cacique Pondari*, saquearon los obrajes e hicieron casi intransitables los ríos, por el asecho permanente de los indios.

Estanislao López y las matanzas de los mocovíes

El gobernador de Santa Fe procuraba mantener una buena relación con los abipones.

Reunió a 500 de ellos para integrar "los lanceros del Sauce", que intervinieron en numerosas campañas al servicio de López y en contra de sus hermanos. De ese grupo surgió *Domingo Pajón (a) "Chula"*, guerrero abipón que fue designado con el grado de comandante para el resguardo de la frontera norte, en contra de los mocovíes, quienes contestaron con renovados ataques.

López encabezó muchas campañas contra los mocovíes y sus tolderías, provocando grandes matanzas, hasta su muerte, en 1836.

Los enfrentamientos —en los cuales murieron traidores como Chula o caciques rebeldes como el abipón *José Porteño*— continuaron, por muchos años. Incluso con la participación de los tobas, quienes en 1848 realizaron duros ataques al mando del cacique *Amatolec*, aunque después fueron aniquilados.

Expediciones por el río Bermejo

Por esos años comenzaron los viajes de reconocimiento por los ríos de la región, intentando colonizar una tierra que seguiría por mucho tiempo más en poder de los indios. Fue famosa la expedición de Pablo Soria, un francés con varios años de residencia en Jujuy, quien fuera designado agente de una compañía maderera para investigar el río Bermejo en 1826. Terminó sin pena ni gloria, hostigado por los flecheros tobas, sabedores de las intenciones finales de cualquier exploración "blanca".

PAMPA Y PATAGONIA: SIGUE LA LUCHA POR LA FRONTERA

Los sinceros intentos de algunos patriotas de la Revolución que buscaban la integración con las comunidades indígenas no tardaron en desaparecer, ensombrecidos por la lucha en la frontera, que era en el fondo la pelea por la tierra.

Luchas y tratados hasta 1820

El *río Salado* se mantuvo como frontera natural, entre otros motivos porque las bandas tehuelches y araucanas se afirmaron en sus posiciones después de los tratados firmados, y porque el grueso de las fuerzas militares estaba ocupado en otras campañas.

Uno tras otro fracasaron todos los planes propuestos por Buenos Aires para fortalecer la frontera. Pero hacia esta época comenzaron a consolidar su posición los hacendados de la provincia, quienes en cierto sentido planteaban una actitud contradictoria, porque si bien procuraban conquistar nuevas tierras (de *la vaquería* se había pasado ya a *la estancia*) al mismo tiempo no querían problemas con las comunidades indígenas con las cuales mantenían excelentes relaciones.

Uno de ellos fue *Francisco Ramos Mejía,* que llegó a intentar una integración con el indio, idea excepcional en su época; otro, el más importante, fue *Juan Manuel de Rosas,* que tenía sus propias milicias ("los Colorados del Monte") y tomaba como peones en su estancia "Los Cerrillos" a sus amigos indios. Para éstos era "nuestro padre".

Rosas proponía la amistad con los indios, y aun la posibilidad de que los hacendados los incorporaran a las faenas agrícolas. Sin duda, vigilaba sus intereses e intentaba frenar la guerra.

Nuevos intentos de acercamiento: García, Lincon y Rosas

En 1820 el coronel García elevó un completo informe al Gobierno advirtiendo de lo perjudicial que sería mantener una guerra permanente con los indios y proponiendo la negociación pacífica con ellos. Entendía que una relación amistosa con los caciques principales permitiría una comunicación cada vez mejor con esas comunidades, lo cual haría posible avanzar la frontera y poblarla.

En marzo de 1822, la segunda expedición de García, destinada a firmar tratados de paz con "las tribus de indios al Sud", estaba lista para partir. Cerca de 250 tehuelches y 1.300 ranqueles apostados en las inmediaciones de la Sierra de la Ventana aguardaban algo inquietos y desconfiados, pero dispuestos a hablar con alguien que al menos no traicionaba la palabra empeñada, como hacía la mayoría de los que se acercaban a las tolderías.

El cacique principal *Lincon* irrumpió en el campamento de García con cerca de doscientos guerreros a todo galope, arrojando lanzazos y sableando al viento. Poco después llegaron otros caciques al mando de sus hombres. *Lincon* y *Avouné* (el otro principal) parlamentaron para decidir si firmaban de inmediato los tratados o esperaban a los ranqueles que seguían en duda.

Llegó también el cacique *Negro* con 500 de sus tehuelches, quien, después de plantear sus diferencias con los otros caciques, firmó la paz.

Se mantuvieron tensas negociaciones con los ranqueles, a través de "correos" que llevaban y traían mensajes, actuando como mediador el cacique Lincon. Algunos caciques se resistían a asistir diciendo que el gobierno no había cumplido con los regalos prometidos. En vista de esta situación, García decidió ir al encuentro del cacique principal *Neclueque*, jefe del grupo ranquel y partidario de la paz.

El violento "Capitán Grande" y la idea del exterminio

El 7 de marzo de 1820, en la estancia Miraflores, de Francisco Ramos Mejía, un grupo importante de tehuelches y ranqueles, entre los que se encontraba el cacique Lincon, firmaron un tratado de "fraternidad y seguridad recíprocas" con el enviado de Buenos Aires, el comandante de la campaña brigadier general Martín Rodríguez.

Pero la paz era una ilusión. Porque *Pablo Gaylquin, el vorogano*, cacique poderoso e intransigente, desconfiaba del brigadier general Rodríguez, que ansiaba salir al desierto a perseguir y castigar "infieles".

Un descomunal malón sobre Salto el 3 de diciembre de 1820, demostró el poderío indígena en alarmante crecimiento y aceleró las masacres.

La expedición que organizó Rodríguez al año siguiente fue impresionante, con 2.500 soldados, pero los resultados no fueron los buscados. Los responsables del ataque a Salto se habían internado demasiado adentro y la furia de Rodríguez se descargó sobre algunos grupos tehuelches que aunque no fueron derrotados tuvieron por lo menos 150 bajas.

El gobernador ordenó a su regreso que los indígenas que trabajaban en las estancias de Ramos Mejía fueran detenidos acusados de traidores.

En abril de 1822 cerca de 500 tehuelches invadieron Pergamino. Poco más tarde los voroganos de Pablo, reforzados por unos 2.000 mapuches llegaron en sus correrías hasta las inmediaciones de Buenos Aires y Santa Fe.

Rodríguez encabezó entonces una segunda expedición, y trató de hacer una alianza con los tehuelches en contra de los ranqueles. Quizás en esos días lo bautizaron "Capitán Grande". Las gestiones fracasaron y los indígenas atacaron, provocando en Rodríguez un sentimiento de impotencia que lo llevó a pensar que el único camino que quedaba con los indios de la provincia de Buenos Aires era una *política de exterminio*.

Mientras tanto, en Santa Fe, el gobernador Bustos tenía mejor suerte en sus ofensivas, hasta que en octubre de 1823 un inmenso malón de 5.000 ranqueles y tehuelches conducidos por los *caciques Juan Catriel, Calfiau y* el *"renegado" Molina* se desencadenó sobre las inmediaciones de Santa Fe y Buenos Aires arreando hacia el corazón de la llanura miles de cabezas de ganado.

Las comunidades indígenas mantenían sólidas sus posiciones. Estaban cada vez mejor organizadas y armadas. Satisfechas, descansaban en sus toldos en el invierno de 1823, mientras el gobernador Rodríguez se preparaba a avanzar contra ellas con la intención de llevar las fronteras hasta el río Negro. El numeroso contingente (tres mil hombres) marchó lentamente, pero la llanura desconocida y hostil, el frío y la falta de agua y alimentos desalentaron a la tropa. Después de sostener algunos combates con los indios, el "Capitán Grande" inició la triste retirada, esta vez para siempre.

Junto con él lo hicieron *los negros del batallón de Cazadores*, que por ese entonces comenzaban a ser utilizados en la guerra contra el indio. Muchos de ellos murieron de frío o volvieron como inválidos a Buenos Aires.

Los malones del "Pichi-Rey" Carrera

De Chile no sólo venían araucanos. También lo hacían exiliados políticos como José Miguel Carrera, general disidente, que quería reagrupar en territorio argentino una fuerza que le permitiera disputar el poder a su adversario O'Higgins.

En la Argentina intervino en las luchas civiles del "interior" contra Buenos Aires, contando con el apoyo de algunas bandas de araucanos, tehuelches, pehuenches y en cierto momento guaikurúes. También organizó malones, y participó en ellos. Cuando vivía entre los ranqueles fue bautizado por ellos como el "Pequeño Rey" (Pichi-Rey).

En 1821, fue tomado prisionero por el ejército mendocino y fusilado.

Guerra y paz en el "País del Diablo"

La tierra fue el objetivo principal de las comunidades indígenas. Luchaban por conservarla, ya que era su propiedad. Pero también era el objetivo del gobierno de Buenos Aires, que quería hacerla suya.

Hacia 1821 los indígenas mantenían bajo ataque la zona noroeste de la provincia de Buenos Aires, mientras una figura nueva tomaba cada vez más importancia entre las fuerzas militares: el coronel Federico Rauch, que fue enviado en muchas ocasiones a combatirlos.

Paralelamente se firmaron algunos tratados de paz con los ranqueles, araucanos y tehuelches, destacándose el gran parlamento en el Tandil (1826), y un posterior acuerdo por el cual se fijaron nuevos límites, se intercambiaron prisioneros y se propuso la paz integral. Los ranqueles firmaron un importante tratado con los enviados de las provincias de Buenos Aires, Córdoba y Santa Fe.

Pero estos intentos de pacificación no prosperaron.

En 1826 asumió el poder Bernardino Rivadavia y con él llegó una política contraria a la integración, que procuró mantener separados y alejados a los indios de la llanura.

Ese año recrudecieron los malones, especialmente en Salto, Arrecifes y Dolores, y la guerra volvió a encenderse, alentada por la violencia de ambos lados. Buenos Aires contaba ahora con el coronel Rauch, nueva esperanza de la política del exterminio. Y efectivamente, en las batallas que se sucedieron, Rauch mató indios por centenares.

En julio de 1827 Rivadavia renunció y en su lugar asumió Vicente López, quien reeligió como comandante general de las milicias de caballería de la provincia de Buenos Aires a Juan Manuel de Rosas, que se afirmó como una figura principal en la frontera. Manuel Dorrego, que asumió el gobierno de la provincia en agosto de 1827, designó a Rosas para mantener tratativas con los indígenas, oponiéndose a los sectores más violentos de Buenos Aires que habrían preferido desatar una guerra sin concesiones encabezada por Rauch.

Dorrego intentó penetrar pacíficamente al "País del Diablo" (el *Huecu Mapu* de los araucanos), esa zona misteriosa más allá del río Salado.

El gobierno de Dorrego cerró un ciclo, entre 1810 y 1828, de sucesivos encuentros pacíficos y bélicos entre los indígenas y el gobierno de la provincia de Buenos Aires. Durante este período hubo varios intentos de integración entre indígenas y población criolla. Dorrego y Rosas buscaron ese camino. En 1825 Rosas propuso un *"plan de colonización indígena"*, cuya finalidad era que las distintas bandas, dirigidas por sus caciques, se instalaran en las estancias, adonde practicarían tareas agrícolas, ganaderas y las propias artesanales.

La caída y posterior fusilamiento de Dorrego a manos de Lavalle provocó que los indios, aliados de Rosas, atacaran sin descanso a los poblados y las partidas de soldados, hasta que en 1829 lograron tomar prisionero a Rauch, y lo decapitaron.

Sigue la "araucanización": los vorogas de Pincheira y el ascenso ranquel

Los vorogas eran una parcialidad de los mapuches, que ingresaron en el actual territorio argentino hacia 1818 y se instalaron en Salinas Grandes. Su denominación, que también era *voroganos* o *voroanos,* provenía de su lugar de origen en Chile, Vorohué, cuyo significado es *"gente del lugar de los huesos"*.

Ya hemos visto a estas comunidades luchar junto al cacique Pablo, y hasta 1834, en que fueron aniquilados por *el cacique Calfucurá* en la laguna de Masallé, intervinieron en múltiples acciones a lo largo de la línea fronteriza, acompañando a los hermanos Pincheira, otros exiliados chilenos.

En el marco del convulsionado contexto político, los Pincheira protagonizaron confusos acontecimientos: uno de ellos fue la matanza de 1828, cuando una coalición de ranqueles, pehuenches y araucanos, aplastó la comunidad pehuenche de Malargüe.

Por ese entonces los vorogas, luego de haber parlamentado con Rosas, estaban separados de Pincheira. El cacique *Ignacio Cañuquir* o *Cañuiquiz* fue el artífice de esta política de preservación de los vorogas, que a su vez inició la decadencia del rebelde chileno, quien terminó entregándose al gobierno trasandino a cambio de lo cual le perdonaron la vida.

La gran desbandada del 33

El año 1833 marcó un hito en la lucha de las comunidades de la llanura. *Por primera vez, los territorios indios fueron profundamente penetrados y muchos de los principales asentamientos desbaratados*. Más aún, por primera vez la violencia de las acciones llegó a un punto tal que *las pérdidas de vidas entre los indígenas se contaron por miles en el término de unos pocos meses*.

Desde la época de los virreyes se había pensado en una "entrada general" contra las comunidades de la llanura. Después de 1810 se hicieron algunos intentos, pero el territorio indígena, como un enorme pantano, ahogaba los proyectos de dominación.

Familia de un cacique araucano. Tarjeta postal de época (colección Juan Archibaldo Lanús).

La ofensiva de 1833 se llevó a cabo en un frente que desde Cuyo y Buenos Aires, "barrió" el país todo a lo ancho, comprometiendo a cerca de 3.800 soldados en una acción militar sin precedentes que, ideada en forma excluyente por Rosas, fue comandada por Facundo Quiroga.

Las operaciones de la división izquierda finalizaron el 25 de mayo de 1834 con un "éxito" sin precedentes sobre las comunidades indígenas: 3.200 muertos; 1.200 prisioneros; 1.000 cautivos rescatados.

El desbande de las principales comunidades fue casi total y sus caciques quedaron muertos (Levin, Quellef, Pichún, Paillarén, Picholoncoy), fugados (Maulín, Chocorí, Yanquetruz) o prisioneros (Marileo, Mariquer, Antibil, Yanquimán, Callupán).

Durante la campaña se firmaron algunos tratados con grupos tehuelches y vorogas, se persiguió a araucanos, ranqueles y sectores de vorogas, y se buscó quebrar la unidad indígena. *La campaña de 1833 constituye el primer eslabón del proceso de exterminio de las comunidades indígenas libres de la llanura*, cuya culminación, la denominada "Conquista del Desierto", no fue más que el mazazo definitivo sobre culturas agotadas y diezmadas después de más de medio siglo de guerra permanente.

CALFUCURÁ Y ROSAS: UN POCO DE TRANQUILIDAD PARA LOS SALINEROS

En 1834, cerca de la laguna de Masallé, al oeste de Salinas Grandes, vivía la comunidad de los voroganos, capitaneados por *Mariano Rondeau*. Una mañana llegaron hasta allí unos dos centenares de araucanos para comerciar, lo que no era nada fuera de lo común. Estaban al mando de Calfucurá (*Piedra Azul*), un cacique proveniente del otro lado de los Andes. Presuntamente por una venganza (años antes Rondeau habría sido el instigador de la muerte del *cacique pehuenche Martín Toriano*) se desencadenó una matanza que terminó con la vida de Rondeau.

Cafulcurá, el más poderoso cacique en la historia argentina había llegado para inaugurar un nuevo ciclo en las comunidades indígenas de la llanura. La etapa inicial de su "reinado" coincidió con el ascenso al gobierno del brigadier general Juan Manuel de Rosas (1835). Calfucurá y Rosas mantuvieron una relación de constante negociación, gracias a la cual volvió cierta tranquilidad a la frontera. Lo que no significa que la paz fuera absoluta.

Rosas aspiraba a consolidar los territorios ganados en la campaña del 33, y su mayor preocupación fueron las comunidades ranqueles que, con Yanquetruz a la cabeza, no negociaban la paz. Sólo en 1836, las campañas realizadas por orden de Rosas causaron mil muertos entre los indios.

Al oeste, la frontera estaba más agitada: los ranqueles, al margen de las negociaciones con el hombre fuerte de los "blancos", siguieron atacando poblados de San Luis, Córdoba y Santa Fe. Por dar un solo ejemplo, la ciudad de Río Cuarto fue atacada sucesivamente en 1834, 1837 y 1839.

LA VIDA EN TIERRA ADENTRO

"Tierra adentro" es la denominación que se le daba al territorio indígena de Pampa y Patagonia. Es la tierra que para las comunidades libres significaba el refugio y la posibilidad de desplegar la vida originaria, sin interferencias.

La frontera en cambio era la zona gris que mezclaba a indígenas, desertores, cautivos, depredadores y "vagos". La frontera era el espacio inmediatamente anterior a tierra adentro. Era el paraíso y el terror: paraíso para los que buscaban la libertad, infierno para los que sufrían las consecuencias de la guerra sin cuartel.

Caos cultural en la frontera

Los indios despertaban terror en los "blancos". Eran "los otros" a quienes no se entendía. Eran los "bárbaros", para una "civilización" que hacía de sí misma el centro del mundo, y sólo tenía desprecio para las demás culturas.

Era tal el terror que hubo lugares en la campaña en los cuales las autoridades no encontraban vecinos que quisieran colaborar ni siquiera para reunir los recursos indispensables a su propia defensa.

El terror era alimentado también por la toma de cautivos. Las comunidades libres de la llanura unían al robo de ganado la práctica del *cautiverio, un hecho cultural de proporciones*. Poseer cautivos era un signo de prestigio social entre los indios. Se tomaban cautivos como rehenes o para negociarlos en trueque con otras comunidades y aun con las mismas fuerzas nacionales. También se los tomaban para trabajar en las tolderías, ayudando a las "chinas". Y muchas veces las mujeres blancas eran cautivadas para esposas de los caciques.

Los cautivos fueron una historia aparte en las tolderías. Muchos de ellos, secuestrados en plena infancia, se integraron a la vida cotidiana de la comunidad, pasando a ser un indio más. Otros, rescatados años después, quedaban afectados por la violencia sufrida; otros aprovecharon lo aprendido entre sus captores para volverse contra ellos en las sucesivas expediciones punitivas lanzadas por el gobierno. Otros por fin, sirvieron para enriquecer el mestizaje. Muchos caciques fueron hijos de padre indio y madre blanca, como Ramón Platero, Baigorrita, y tal vez Pincén.

Esta caldera cultural que eran las tolderías se enriqueció con otro fenómeno: el de los *caciques blancos. Manuel Baigorria*, ex coronel del ejército nacional, tuvo una destacada actuación (1831-1852), encabezando centenares de ranqueles y otros tantos emigrados blancos.

En muchos casos los prisioneros sufrían y se desesperaban ante la ruptura total de su existencia; otros llegaron a reconstruir sus vidas; muchos pudieron volver. Pero todos, de un modo u otro, *vivieron. Son excepcionales las muertes en cautiverio* y este es un dato a destacar.

Otros tipos humanos destacables en estos tiempos en la frontera eran los depredadores, pandillas errantes que por lo general caían sobre los poblados que habían sufrido el ataque de un malón, completando la obra destructora. En muchas ocasiones estos depredadores eran confundidos con simples *gauchos* que comenzaban a habitar la llanura en calidad de pobladores libres. Muchísimas ejecuciones, prisiones y levas forzadas se hicieron en nombre de esta presunta condición de "vagos y malentretenidos".

La vida comunitaria en las tolderías tehuelches

Los pocos tehuelches que permanecieron hacia mediados del siglo XIX en el norte de Pampa y Patagonia (guenaken), sufrieron cambios profundos. Su economía se transformó en "depredadora": los antiguos cazadores de guanacos y avestruces roban caballos y vacas en las poblaciones fronterizas. Como viviendas continúan los toldos pero ahora usando partes de caballos (los tendones).

Originariamente desconocieron la cerámica, pero ahora la tenían aunque en escasa proporción. También como fruto del intercambio con los araucanos incorporaron de ellos sus mantas de lana como complemento en la vestimenta. El antiguo manto de pieles de guanaco pasó a ser de piel de caballo y el chiripá ocupó el lugar del cubresexo. Los guerreros agregaron las botas de potro, al igual que los coletos de cuero puestos sobre el pecho en ocasión de los combates.

Culturalmente ecuestres, los tehuelches adoptaron la lanza ("la chuza") en reemplazo del arco y la flecha, manteniendo las boleadoras como terrible arma ofensiva. Los cacicazgos se hicieron más fuertes seguramente por influencia de los araucanos.

Los tehuelches de Patagonia (penken y aoniken) son los que mejor mantienen su forma de vida originaria, protegidos en sus lejanos territorios y aunque no fueron muchos, serían la última resistencia a la "Conquista del Desierto", con el jefe *Sayhueque* a la cabeza. Continuaron cazando sus avestruces y sus guanacos, ahora a lomo de sus caballo y ayudados por sus fieles perros, que también colaboraban en el cuidado y arreo de los ganados. Respetaban *la ley india de repartición de la caza*, distribuyendo la comida comunitariamente. Comían yeguas, guanacos y avestruces, y todo lo que podían a excepción de peces: frutas, legumbres, hierbas, vizcachas, pájaros. El azúcar y la sal ocupaban lugares preponderantes en su dieta. Comían en forma permanente, durante todo el día, sin horario, a diferencia de los araucanos.

Tomaban bebidas que ellos mismos elaboraban. La costumbre de fumar fue incorporada por el contacto con los araucanos y luego con los blancos y mestizos de las poblaciones de la época colonial. La yerba y el aguardiente llegaron después. Las principales diversiones consistían en *carreras de caballos, juegos de cartas, y juegos de dados* que ellos mismos hacían de hueso.

Un poderoso mundo sagrado

El viejo ritual de enterrar a sus muertos se mantuvo. Se envolvía el cuerpo en su manto, acompañado de sus bienes, sacrificando sus animales e incendiando sus pertenencias, a excepción del toldo, en la creencia de que todos los bienes pasarían al otro mundo con su dueño.

Elal es el héroe civilizador por excelencia de los tehuelches meridionales, quien les otorgó los bienes para la subsistencia: el fuego, los animales, la vestimenta y las técnicas de caza. También derrota a enemigos míticos que ponen en riesgo la vida del hombre: el Sol, la Luna, el guanaco y avestruz macho, el cóndor. También introdujo la división sexual del trabajo, la institución del matrimonio y la muerte.

Existían vinculaciones culturales entre este personaje y los *onas* a través de su dios *Kénos*: a ambos se los consideraba antepasados; ambos han formado con tierra a los hombres y ambos han dado la tierra a los hombres.

Existe un personaje en la mitología tehuelche septentrional, *Elengásem*, y otro en la araucana, *Kollóng*, que también estarían vinculados a Elal: son, como él, el padre o generador de la raza y los dueños de todos los animales.

Hay en la cosmovisión tehuelche otros personajes: el dios supremo que aparece con varias denominaciones según los autores: *Kárut(e)n*, el trueno, acompañante de Elal en el cielo; *Keenguekon*, la Luna, a quien se le pide clemencia; el Sol, de culto confuso *y Máip o Gualicho*; esta última palabra designa a todas las potencias adversas sin particularizar.

Las prácticas chamánicas estaban muy desarrolladas y al parecer tomaron de los araucanos gran parte de los aspectos salientes del ritual.

La caldera araucana

El elemento mapuche predominó en el conjunto de parcialidades que "araucanizó" la Patagonia: "araucanos-pehuenches" (pehuenches araucanizados); vorogas (araucanos de Vorohué); ranqueles (tehuelches araucanizados); "salineros" (araucanos de la dinastía de los Curá, con Calfucurá a la cabeza) y araucanos propiamente dichos.

Por encima de las diferencias todos estos grupos tienen elementos comunes, que fueron tomados de los tehuelches: cultura ecuestre, economía "depredadora" (no olvidemos que en su lugar natal, Chile, los araucanos eran de tradición agrícola-pastoril), toldos, armas ofensivas. Los araucanos aportaron su lengua, y fortalecieron la institución del cacicazgo.

Mantuvieron sus prácticas religiosas originarias: el desarrollado chamanismo con intervención de las machis; los rezos colectivos como el Nguillatún y algunos rituales funerarios, aunque estos últimos con mezcla de tradiciones tehuelches (por ejemplo el sacrificio de animales y personas por un golpe de boleadora en el cráneo).

La comida estaba basada en carne de yegua o potro y se complementaba con platos criollos difundidos en las tolderías por las cautivas blancas: empanadas, carbonada con zapallo y choclos, asado de cordero y de vaca, tortas al rescoldo. De postre, miel de avispas, queso, y maíz frito pisado con algarroba.

Los araucanos jugaban a la *loncoteada*, una competencia entre los hombres que consistía en tomarse de los cabellos del contrincante con toda furia y tirar hasta derribarlo. Este juego era común entre los ranqueles, y la resistencia que mostraban los jugadores se consideraba símbolo de valor.

Se temía al *Gualicho*, como presencia nefasta, y se trataba de neutralizarlo por todos los medios. Tenían un dios supremo, *Cuchauentru (el hombre grande) o Chachao (el padre de todos).*

Los caballos mágicos

Las culturas de la llanura tuvieron en el caballo un aliado incomparable.

El caballo indio era único. Ningún otro podía comparársele. Estaba entrenado de tal manera que combinaba mansedumbre, fortaleza y velocidad.

El indio estaba sobre él todo el tiempo. No sólo cuando viajaba, sino muchas veces cuando dormía, bebía o contemplaba el horizonte. El adiestramiento del caballo era intenso; lo hacían galopar no sobre terreno liso y firme sino sobre pantanos, médanos y vizcacheras, subiendo y bajando lomas escarpadas. Días enteros cabalgando en esos lugares difíciles le daban al animal un estado excepcional, que lo hacía inalcanzable para sus parientes en propiedad del ejército.

Era incansable y capaz de pasarse muchas horas sin comer pasto ni tomar agua. Su fidelidad no tenía límites. Era muy manso, pero sólo aceptaba como jinete a su

El cacique tehuelche Casimiro y su hijo Sam Slick, *grabado a partir de una fotografía de 1864. Casimiro fue cortejado a la vez por la Argentina y Chile, que lo nombraron oficial de sus respectivos ejércitos.*

dueño, de quien entendía sus gritos, sus gestos, el más leve movimiento de su cuerpo.

Las cualidades únicas de estos caballos, y la hermandad profunda con su jinete, hicieron creer a los pobladores de la frontera que había de por medio brujería, y que los indios tenían caballos mágicos.

Tal vez lo eran.

Pero creemos que en gran medida las extraordinarias características del animal se debieron al especial respeto que por él sentía el indio. El indio jamás maltrataba a su caballo, jamás lo hacía tener miedo. Y lo llenaba de afecto todo el tiempo. Era antes que nada su amigo.

LOS GRANDES CACICAZGOS Y LA CONSOLIDACIÓN DE LOS ARAUCANOS

Los toquis araucanos (*apu toqui: comandante supremo de guerra*) hicieron su entrada en el territorio argentino con sus guerreros y sus símbolos de poder: las piedras sagradas o las hachas ceremoniales. De las primeras, la más famosa fue aquella piedra azul que encontró Calfucurá siendo adolescente. Esas piedras tenían poder, al menos un poder simbólico: enterrarlas significaba que había llegado la paz, desenterrarlas y colocarlas en lo alto de largos palos era el inicio de la guerra.

Los caciques eran personajes con gran poder; tenían bajo su mando a caciques menores y capitanejos que a su vez estaban al frente de los guerreros y las tolderías, y participaban del *Tantum* o *Parlamento*, máxima instancia en la toma de decisiones. Los caciques se servían de lenguaraces (traductores) y escribientes, que les permitían comunicarse con el hombre blanco.

El período de los grandes caciques en la cultura araucana duró cincuenta años, entre 1830 y 1880. Se destacan por el amplio territorio que cubría su jefatura, por la cantidad de guerreros bajo su mando, por lo prolongado de sus mandatos y por la influencia que ejercían sobre los centros de poder "blancos". Si examinamos los nombres de los caciques principales durante ese período, descubriremos que sobre un total de sesenta nombres, cuarenta de ellos son araucanos, y los veinte restantes tehuelches. A su vez si analizamos estos últimos, vemos que muestran una creciente influencia araucana, como el caso del gran Sayhueque, legendario cacique tehuelche que era hijo del cacique voroga Chocorí y de madre tehuelche.

Yanquetruz, el Grande

Yanquetruz fue el jefe indiscutido de los ranqueles entre 1818 y 1838. Por su fama lo llamaban "Vuta Yanquetruz" (Yanquetruz el Grande). Durante las campañas de 1833 fue perseguido infructuosamente. Logró escapar, pero varios de sus hijos cayeron en combates contra las fuerzas nacionales, incluido el valiente *Pichún,* en la batalla de Las Acollaradas (1833).

Zorro Celeste y sus hijos, los otros Zorros

Painé Guor (Zorro Celeste) inició en 1838 una larga "dinastía". Continuando la tarea iniciada por Yanquetruz, durante su reinado los ranqueles alcanzan su máximo poderío, disputando a Calfucurá el liderazgo de los indígenas.

Pasó casi cinco años recluido en sus toldos para que los blancos no le hicieran daño a un hijo suyo que habían secuestrado. Cuando logró rescatarlo, volvió a ponerse al frente de sus hombres, que lo idolatraban.

Una noche de julio de 1847 murió de repente. Su hijo y heredero, el feroz *Calviaú-Guor (zorro cazador de leones)*, partió de cacería en busca del *avestruz blanco, animal sagrado* cuya muerte significaba fortuna y gloria para el que conseguía llevarlo hasta su amada. Pero Calvaiaú murió en el intento.

El trono de los ranqueles quedó entonces para *Paghitruz Guor,* segundo hijo de Painé. Era éste el que había sido secuestrado, casi niño, por un enemigo de su padre, Yanquelén, y entregado a Rosas, en cuya estancia pasó cinco años y donde recibe el nombre de Mariano Rosas. Una noche de luna, escapó y atravesó la frontera corriendo con desesperación hacia Painé y hacia su Leuvucó natal.

Paghitruz volvió a su tierra, y, a diferencia de otros grandes caciques, no volvió jamás a salir de ella. El temor de volver a caer prisionero pudo más que cualquier otra cosa. Condujo a la comunidad desde sus toldos, dejando en manos de sus capitanejos las correrías por la frontera.

A la muerte de Mariano Rosas le sucedió su hermano *Epumer (Dos Zorros)*, último representante de esta línea de caciques ranqueles. Epumer reinó pocos años (1873/1878) pero los suficientes para mantener en alto los principios que sostenían la identidad de las comunidades ranqueles, resistiendo hasta último momento el embate de los poderes políticos del nuevo país y las sucesivas campañas militares contra ellos.

El legendario Calfucurá

Durante cuarenta y ocho años Calfucurá fue líder indiscutido de las comunidades libres de la llanura de Pampa y Patagonia, desde la "Confederación de Salinas Grandes". Su poder y prestigio eran tan grandes que los mismos ranqueles, tan defensores de su autonomía, muchas veces actuaron bajo su mando.

Los caciques se destacaban entre otras virtudes por

el don de la palabra. La palabra estaba asociada muchas veces a lo sagrado, y era utilizada por los jefes para persuadir, arengar o negociar. Podían pasar muchísimas horas hablando, para que las comunidades tuvieran explicaciones satisfactorias de todo lo que sucedía. Cuando se reunían varios caciques, los parlamentos eran interminables. La palabra era un don, y también un legado. Se dice que el último legado de Calfucurá fueron cinco palabras pronunciadas desde su camastro de moribundo donde yacía rodeado por sus caciques y capitanejos en el corazón de la Pampa: *"No entregar Carhué al huinca"*.

Carhué fue una obsesión para el jefe araucano que veía en su caída la derrota final de los indígenas. Un bastión, que una vez vencido, provocaría la entrada de los blancos.

Además de ser un maestro en la guerra, Calfucurá fue un inteligente negociador. Lo demostró especialmente durante el gobierno de Rosas, con el cual mantuvo relaciones casi pacíficas. La caída de Rosas cambió la situación. Al perder la protección del gobierno, Calfucurá lanzó sobre Buenos Aires y sus alrededores una sucesión ininterrumpida de ataques. Esta época fue la de su mayor poderío. Terminó en 1872 con la gran batalla de San Carlos, poco después de la cual murió en sus toldos. Se cuenta que en aquella batalla Calfucurá, de cien años de edad, fue ayudado por sus hombres a montar su caballo y poder dirigir las operaciones.

Namuncurá, el heredero

A la muerte de Calfucurá se reunió un inmenso parlamento. Su sucesión estaba muy disputada, y no era fácil decidir. Pero de los tres hijos propuestos, era Namuncurá (*Pie de Piedra*) quien ofrecía más garantías: leal a la memoria de su padre, a quien había secundado incon-

Cacique Manuel Namuncurá (joven), detalle. Archivo Gral. de la Nación.

dicionalmente en los grandes combates, y con grandes condiciones de guerrero, Manuel Namuncurá era el heredero natural.

Aunque era, igual que su padre, un astuto negociador (especialmente con las autoridades de la Iglesia a través de las gestiones llevadas a cabo con el arzobispo Aneiros) el nuevo jefe de los araucanos supo utilizar la vía del enfrentamiento cuando las circunstancias lo exigieron.

Encabezó la llamada *"invasión grande"*, un gigantesco malón que hizo pensar a algunos testigos de la época que el proyecto final era "entrar en Buenos Aires".

Namuncurá fue uno de los últimos caciques en caer derrotado.

Pincén o Pin-then, amante de sus antepasados

Pincén fue el arquetipo del jefe indio irreductible. Jamás firmó un tratado con Buenos Aires ni con los gobiernos provinciales. Nunca participó en ninguna negociación.

Participó en la confederación de Calfucurá, pero a la muerte de éste se independizó. Sólo de tanto en tanto mantuvo contactos con Namuncurá.

Sus hombres lo seguían con lealtad a toda prueba, y en el combate final prefirieron caer muertos junto a su jefe antes que retirarse.

El origen de Pincén es confuso. Él se definía como "indio argentino" y decía haber nacido en Carhué. Otras versiones aseguran que en realidad era hijo de "cristianos", secuestrado de niño por un malón. Es probable que haya sido un tehuelche mestizado.

Desde Buenos Aires se lo atacó encarnizadamente, porque a pesar de su corta actividad independiente (1873-1878), demostró ser un símbolo de la resistencia indígena, con una gran capacidad para defender sus territorios.

Y siguen los caciques...

Entre los tehuelches se destacaron también *los Catriel: Juan* y sus hijos *Cipriano, Juan José y Marcelino.* Los Catriel apoyaron a veces a sus hermanos indios, a veces a los "blancos", y con el peso de sus hombres decidieron en muchas oportunidades la suerte de alguno de los bandos. En tiempos de Rosas, Juan se instaló con su gente en los alrededores de Azul, donde llevó una existencia pacífica.

A su muerte en 1865 tomó el mando su hijo Cipriano. En 1872, Cipriano, aliado con el coronel Elía, jefe de frontera, llevó a cabo un ataque y saqueó a los toldos de Manuel Grande y Gervasio Chipitruz, también asentados en las cercanías de Azul. En represalia, Calfucurá lanzó una de sus mayores invasiones.

Seguramente disgustado por esta traición de su hermano, Juan José Catriel se rebeló contra él, lo derrotó y lo condenó a morir lanceado. Juan José ejerció el cacicazgo de los toldos de Azul hasta 1878, cuando cayó prisionero junto con su hermano Marcelino.

Más al sur, en el llamado "País de las Manzanas" en parte de las actuales provincias de Neuquén, Río Negro y Chubut, hay otro gran cacique tehuelche que tuvo bajo su jefatura a miles de hombres: *Valentín Sayhueque*.

Siguiendo el consejo de su padre de "no meterse con los cristianos", Sayhueque buscó la paz con el Estado argentino. Gracias a esta actitud, mantuvo durante largos años a su pueblo al margen del drama que ensangrentaba a la pampa.

Una bandera argentina —regalada por el Perito Francisco Moreno— flameaba delante del toldo del cacique. Él explicaba que "era argentino".

Compartían esta idea de integración muchos de sus caciques, como *Foyel,* quien sostenía que si les hacían la guerra a los blancos no tendrían forma de comerciar los ponchos, cueros y plumas, por lo que " es de nuestro propio interés mantenernos en buenos términos con ellos".

De poco valieron estas aspiraciones legítimas. El avance incontenible de las expediciones posteriores a la de Roca en 1879 obligó a Saihueque y todo su inmenso "reino" a alzarse en armas contra el invasor, desaprovechandose así otra posibilidad auténtica de participación.

Y más caciques...

Entre los vorogas pueden mencionarse al menos dos: *Ignacio Cañuquir* y *Chocorí*. Sus comunidades sufrieron persecución constante por su postura beligerante.

Manuel Baigorria, el "cacique blanco" fue un caso

El cacique Valentín Shaihueque. Fotografía tomada de la "Iconografía aborigen" de Milcíades Alejo Vignati.

excepcional: coronel del ejército huyó hacia territorio indígena, permaneciendo durante veinte años; reúne exiliados y un número creciente de indios, conduciendo muchísimás campañas contra las poblaciones fronterizas o partidas militares.

Baigorrita, hijo de Pichún y nieto de Yanquetruz, combatió hasta 1880 en la frontera del sur de Córdoba y el oeste de Buenos Aires.

Junto a Calfucurá se destacó su hermano *Reuque-Curá*. Otro cacique araucano importante fue *Feliciano Purrán*.

Entre los tehuelches se destacaron los caciques de *Saihueque, Foyel* y *Casimiro*.

También puede mencionarse a *Gervasio Chipitruz, Manuel Grande* y *Calfucir*.

Y así podríamos seguir. Hablando de *Cayupán*, de la estirpe vorogana. O de *Cristo, el feroz*. De *Levian, Alan* y *Quellef*, los ranqueles combatientes; de *Alvarito Rumay*, hijo de Calfucurá. Y de *Cachul* y de *Salvutia-Qual*, y *Yanquimán* y *Ramón López*, y...

La historia de cada cacique es el resumen de la historia de su cultura. La historia de cada cacique se multiplica por miles de hombres, mujeres y niños indígenas y es el símbolo de sus vidas. Unas vidas signadas en gran medida por la desgracia de la violencia.

LA POLÍTICA DEL GENOCIDIO

En el período *1821-1848 en las llanuras de Pampa, Patagonia y Chaco se registran más de cuarenta grandes enfrentamientos, en los cuales se calcula que murieron 7.587 indígenas*, de acuerdo con el siguiente detalle: 6.458 ranqueles, vorogas, araucanos y tehuelches (en ese orden); 679 guaikurúes (379 mocovíes, 200 abipones y 100 tobas) y 450 pehuenches.

Estas cifras incluyen solamente a los muertos en combate, dejando de lado a los prisioneros que también se contaron por miles, a los centenares de heridos que no murieron en los campos de batalla sino lejos de ellos, durante la retirada y días después.

Si estimamos que la población de Chaco, Pampa y Patagonia era de aproximadamente 90.000 indios, una sola palabra puede definir a la política que se comenzaba a aplicar con las comunidades indígenas: genocidio, es decir, el exterminio sistemático de un grupo humano.

CAPÍTULO V

LA QUIMERA DE SER LIBRES

A medida que avanzaba el siglo XIX, se hacía más fuerte la preocupación de la dirigencia política argentina por unificar a la Nación. Para ello era preciso, entre otras cosas, extender el dominio del Estado a la totalidad del territorio.

Las ideas liberales que llegaban de Europa se expresaron en la famosa consigna de Sarmiento: "Civilización y Barbarie". "Civilización" era todo lo que hacía participar al país de Occidente, universalizándolo y dándole una forma de vida semejante a la europea. "Barbarie" por el contrario era todo lo que nos separaba de Occidente; era la afirmación de los valores y tradiciones originales de "la tierra". La Civilización era propia de los hombres blancos; la Barbarie eran "los otros", los diferentes. Y entre los diferentes estaban los indios.

En Chaco, Pampa y Patagonia se mantenían los territorios indígenas libres. Allí permanecían los irreductibles. Eran miles y miles de hombres que soñaban con seguir libres. Por eso dialogaron, negociaron y comerciaron con muchos hombres del otro bando que estaban dispuestos a una integración efectiva, a posibilitarles una incorporación al nuevo país, preservando su dignidad y sus valores tradicionales.

Sin embargo, también luchan contra todos aquellos hombres del otro bando que no creen que la participación sea posible. Que no creen que la participación sirva para algo. Que no creen en el indígena como persona.

La gloria de Calfucurá

La era de los malones

La caída de Rosas rompió el delicado equilibrio con la Confederación de Salinas Grandes. Buenos Aires volvió a sufrir los ataques de los indígenas, especialmente los araucanos.

Calfucurá estableció una virtual alianza con Urquiza a quien le confesó que deseaba hacer la paz con el gobierno de Buenos Aires, porque la guerra le impedía comerciar la sal y los cueros. Pensaba que no podría sostenerse mucho más sin hacer tratados. *"Mis ojos son pocos para mirar a tantas partes"*.

Sin embargo los malones prosiguieron por más de veinte años, entre 1850 y 1870. En este período el poderío de Calfucurá llegó a su punto máximo. Las comunidades indígenas, que dominaban la Pampa, hacían un último intento por la defensa de la tierra y su cultura.

En febrero de 1855 un malón de tres mil araucanos al mando de Calfucurá cayó sobre Azul, y se retiró llevándose cautivos, ganado y armas.

El 7 de mayo, los ranqueles atacaron Rojas; en septiembre, Tandil y en octubre Tapalqué.

El "Ejército de Operaciones del Sur" al mando del general Hornos e integrado por 3.000 hombres intentó atacar a los indios en las sierras de Tapalqué. Pero Calfucurá lo esperaba allí cerca, en los pantanos de San Jacinto, donde la caballería de los blancos quedó inmovilizada. Murieron cerca de trescientos soldados.

Firmar tratados para frenar los ataques

Preocupada por la presencia indígena, Buenos Aires buscó desesperadamente el camino de los tratados; hizo la paz con *Juan Catriel* y *Cachul*, a cambio de entregarles cada tres meses yerba, azúcar, tabaco, cuadernillos de papel, harina, aguardiente, vino, ginebra, maíz y doscientas yeguas. A Juan Catriel se le otorgó el título de General y Cacique Superior de las Tribus del Sur, y el grado de Coronel.

En 1857, el comandante de la frontera, general Manuel Escalada, regaló a los dos caciques mil quinientas yeguas para evitar una invasión que preparaban Calfucurá y Cristo.

Los ranqueles también firmaron tratados con los gobiernos de Córdoba y San Luis, y esta frontera permaneció relativamente tranquila durante algún tiempo.

Pero Calfucurá continuó activo. En marzo de 1857 atacó 25 de Mayo. Ese mismo año los partidos de Rojas y Pergamino sufrieron ataques ranqueles.

Hacia 1858, la frontera de Buenos Aires estaba custodiada por sólo mil trescientos hombres. Calfucurá no dejó escapar la oportunidad, y en marzo de 1858 atacó Bahía Blanca; en octubre, invadía otra vez Azul.

Bartolomé Mitre, elegido presidente en las elecciones de 1862, propugnó una política más enérgica contra los indios, ordenando ataques contra los ranqueles y tratados allí donde se pudiera.

Calfucurá siguió poniendo en jaque a la frontera: en mayo de 1864 atacó Tres Arroyos. En octubre de 1865 llevó malones sobre Claromecó y en diciembre sobre Tapalqué.

El apresamiento de dos hijos de Calfucurá hizo temer una gigantesca invasión por parte de los araucanos, amenaza que fue neutralizada mediante el despido del jefe responsable de aquella acción, el coronel Machado, y la firma de un tratado con *Reuque Curá*, hermano del gran cacique, en Azul, en agosto de 1866.

Los ranqueles tampoco se quedaban quietos. En marzo de 1866 atacaron por la frontera del sur de Córdoba y en noviembre llegaron hasta de Río Cuarto.

En abril de 1868, Calfucurá insistió sobre el sur de Córdoba, al frente de 2.000 hombres que regresaron con un gigantesco arreo de ganado.

Durante todo este período, y a pesar de algunas victorias aisladas de los ejércitos nacionales, los indígenas mantuvieron la superioridad militar y siguieron ampliando sus territorios.

En la presidencia de Sarmiento (1868-1874) se privilegió la política de los tratados, gracias a los cuales en muchas ocasiones se pudieron pacificar momentáneamente las fronteras calientes. Los principales tratados de esos años fueron con los ranqueles, y entre ellos se destacan el firmado entre Paghitruz Guor (Mariano Rosas) y el general Mansilla en 1870, y el concretado con Limonao.

Lo real fue que los avances indios sobre la frontera siguen, no se detuvieron. En junio de 1870 Calfucurá invadió Tres Arroyos con mil araucanos, y en octubre Namuncurá hizo lo mismo con Bahía Blanca al frente de 2.000 hombres.

En noviembre de 1870 el comandante de la frontera sur, coronel Francisco de Elías, firmó un convenio con Calfucurá, por el que ambas partes se comprometían a mantener la paz de la frontera. Poco antes, en octubre, el citado coronel había firmado otro acuerdo con los tehuelches Cipriano Catriel y Calfuquir.

Pero esa paz duró poco. En 1871, el coronel de Elías atacó a los caciques *Manuel Grande, Gervasio Chipitruz y Calfuquir,* acusados de haberse sublevado contra Cipriano Catriel, al que el tratado designaba "Cacique principal de todos los indios". La traición enfureció a Calfucurá que reunió a todos los araucanos, tehuelches y aun ranqueles disponibles y decidió vengar la afrenta sufrida por sus hermanos. El 5 de marzo de 1872 *seis mil guerreros indios* entraron en los partidos de Alvear, 25 de Mayo y 9 de Julio con resultados elocuentes: 300 pobladores muertos; 500 cautivos y 200.000 cabezas de ganado capturadas.

SAN CARLOS: LA GRAN BATALLA PERDIDA

De esta última invasión, Calfucurá se retiraba hacia tierra adentro con tres mil quinientos guerreros; los dos mil quinientos restantes se habían alejado arreando la enorme cantidad de ganado. Aprovechando esta disminución de fuerzas, y la sorpresa, salió a atacarlo el general Ignacio Rivas, comandante en jefe de la frontera, que había reunido a mil de sus soldados y quinientos indios de sus aliados los caciques Coliqueo y Catriel.

El choque se produjo en la madrugada del 8 de marzo de 1872 al norte de San Carlos (actual Bolívar) y fue uno de los más terribles producidos hasta entonces.

Calfucurá y sus caciques, *Reuque-Curá*, *Pincén*, *Catricurá*, *Namuncurá* y *Epumer*, dieron las órdenes. Sonó el clarín indio, y los alaridos de las bandas fueron la señal de que la batalla había comenzado. Se sucedieron horas interminables en que pasó de todo: los furiosos entreveros; la orden de Calfucurá de que muchos de los indios pelearan de a pie —cosa rara en ellos que lo hacían siempre a caballo— ; la orden de Cipriano Catriel de fusilar a los que no querían luchar contra sus hermanos.

El desenlace de la gran batalla era incierto, cuando una carga final de Catriel y Rivas comenzó a desmembrar las fuerzas de Calfucurá, que ordenó la retirada. Nunca sabremos cuál fue la causa de la derrota. Probablemente los flamantes fusiles Remington que hicieron estragos entre los indios; o la presencia de tantos indígenas del lado de los blancos; o el riesgo percibido por

Calfucurá de prolongar demasiado la batalla en plena línea de frontera. Lo cierto es que retiró a sus huestes dejando más de doscientos muertos.

Envalentonado por la victoria de San Carlos, el gobierno nacional dispuso ese mismo año nuevas operaciones que en algunos casos incluyeron la firma de tratados.

El 4 de junio de 1873, en Salinas Grandes, moría Calfucurá, dejando su famosa consigna: "no entregar Carhué al huinca". El cacique siempre había pensado que el triángulo imaginario Carhué-Choele Choel-Salinas Grandes era estratégico para mantener el dominio indígena de Pampa y Patagonia. Salinas Grandes era el centro del poder político; Choele Choel era el paso natural ideal para los arreos que eran trasladados a Chile para su venta; Carhué era la puerta de entrada al territorio libre. Por eso defenderlo era vital.

La muerte de Calfucurá alegró a Buenos Aires y a los gobiernos provinciales fronterizos, aunque poco durarían las celebraciones: su hijo, Manuel Namuncurá, de 62 años, tomó el mando de las bandas.

NAMUNCURÁ, ALSINA Y UNA ZANJA PARA DIVIDIR AL MUNDO

En diciembre de 1873 Namuncurá estrenó su jefatura atacando las inmediaciones de Bahía Blanca. En la ocasión se vieron por lo menos cincuenta indios que portaban fusiles, lo que indicaba un nuevo peligro: la adopción de armas de fuego por los indígenas. En noviembre de 1875 los araucanos invadieron 25 de Mayo.

El nuevo ministro de Guerra de la Nación, Adolfo Alsina, propuso un plan de avance paulatino, que aspiraba alcanzar el Río Negro e intentaba lograr la paz con las comunidades indias. Pero en este plan, como en otros anteriores, todas las ventajas eran para el blanco,

"Indios tirando flechas". Archivo Gral. de la Nación.

y todos los costos debía pagarlos el indio. A la comunidad de Juan José Catriel, por ejemplo, se la quiso trasladar a otros terrenos, para que dejaran libres los fértiles suelos del Azul, que los ganaderos buscaban apropiarse definitivamente. Esta operación terminó con la sublevación de los "Catrieleros" en diciembre de 1875.

Namuncurá vio en la quita de tierras a Catriel el inicio de un despojo mayor, que confirmaba sus temores, por lo que decidió continuar con la ofensiva, organizando la *"invasión grande"*, la mayor después de la de Calfucurá en marzo de 1872.

Tres mil quinientos araucanos y ranqueles, dirigidos por Namuncurá, Pincén y Baigorrita arrasaron las poblaciones del centro de la provincia de Buenos Aires, retirándose con centenares de cautivos y miles de cabezas de ganado.

Rápidamente se puso en marcha una violenta contraofensiva que provocó cinco combates sucesivos, con un saldo de casi trescientos muertos entre los indígenas. En 1876 cinco divisiones de las tropas nacionales avanzaron sobre "tierra adentro" con casi cuatro mil soldados, y fundaron pueblos, fuertes, fortines, además de iniciar la construcción de la famosa zanja.

Desde el principio de su gestión Alsina había hablado de un foso que corriera paralelo a la frontera, una gran zanja que fuera imposible, o al menos difícil, cruzar a caballo, y que por ello frenara los malones. El proyecto aspiraba a cubrir un total de 730 kilómetros entre Bahía Blanca y el sur de Córdoba y de trecho en trecho se levantaría un fortín que controlaría la llegada de los indios. Pero la zanja no funcionó como se había previsto, y las invasiones siguieron.

En agosto de 1876, Namuncurá y Juan José Catriel invadieron las inmediaciones de Azul. En octubre, otra vez Namuncurá, junto a su hermano Alvarito Rumay y a los caciques Manuel Grande y Tripailao entraron en Chivilcoy al frente de dos mil guerreros. El 8 de diciembre, trescientos araucanos comandados por Pincén —secundado por Manuel Grande, Ramón Platero y Tripailao— llegaron al sudoeste de Junín.

El debilitamiento del poder indígena

Estos malones eran seguidos casi siempre por partidas de soldados que salían en busca de los atacantes, y los enfrentamientos por lo general terminaban con bajas entre los indios.

En abril de 1877, cerca de Puán, Namuncurá atacó el fortín y poco después, Pincén y Catriel volvieron a atacar. La enérgica represalia causó muchas bajas entre los indios, incluyendo caciques como *Catrenao*, brazo derecho de Pincén.

En la frontera sur de Mendoza y Córdoba también se producían invasiones indígenas pero las contraofensivas de los blancos y *la sucesión de combates, fueron de-*

Thanenahuen, indígena tehuelche,
esposa del cacique araucano Nahuelquir.
Tarjeta postal de época (colección Y. A. Lanús).

bilitando el poder indígena. Si bien el territorio seguía en sus manos, la situación comenzaba a hacerse cada vez más difícil.

Algunos caciques optaron por la rendición, obligados por el agotamiento de las comunidades y *el hambre.* Así sucedió con el ranquel *Ramón Platero y los tehuelches Manuel Grande, Tripailao y Catriel,* quienes totalizaron más de mil indígenas entregados.

La muerte de Paghitruz Guor en 1873 también fue un golpe para los grandes cacicazgos y la mística de los guerreros.

Otra causa de la decadencia del poder indígena fue *la sistemática pérdida de "hombres de pelea"* en las constantes batallas. El exterminio empezaba a hacerse visible. Y no se trataba sólo de la muerte de los hombres, sino de la desaparición de la cultura. Las comunidades indígenas no sólo tenían por enemigos a las fuerzas nacionales, con sus Remingtons, su tabaco y su alcohol como armas principales, sino también a las enfermedades como la tisis y la viruela, mortales para los indios.

LA INTERVENCIÓN INDÍGENA EN LOS EJÉRCITOS NACIONALES

Existió un sector indígena —aunque minoritario no menos importante— que en determinados momentos formó parte de los ejércitos nacionales. Muchos lanceros indios, reclutados entre comunidades vecinas de los fortines, participaban regularmente de las expediciones hacia "tierra adentro", no sólo en calidad de baqueanos y colaboradores en las distintas tareas durante la marcha, sino como combatientes.

El vorogano *Ignacio Coliqueo* alcanzó el grado de coronel. Asentado en Los Toldos fue designado *"Cacique Principal de los Indios Amigos y Coronel Graduado",* pasando a cumplir un rol preponderante como custodio de la frontera.

Desatada la guerra contra el Paraguay en 1865, Coliqueo y su aliado *Andrés Raninqueo* ofrecieron mil quinientos lanceros, que fueron rechazados por Mitre, que prefirió esa fuerza en la desguarnecida frontera.

Coliqueo mantuvo enfrentamientos con los ranqueles y con Pincén, hostigadores permanentes de la frontera, pero tal vez el más importante encontronazo haya sido el de San Carlos, en 1872. En él, *Simón Coliqueo* participó con 130 lanceros que se sumaron a los 800 de *Cipriano Catriel*. Ambos contribuyeron a la derrota de Calfucurá. La participación indígena en los ejércitos nacionales produjo siempre el desgastante enfrentamiento entre hermanos.

SE ACERCA EL DERRUMBE

El modelo del desprecio

Hacia fines de la década de 1870, los intentos de algunos sectores de la sociedad nacional por lograr un vínculo pacífico con las comunidades indígenas, van cediendo ante la presión cada vez más fuerte de la otra corriente, la que detenta el poder, que quiere el exterminio liso y llano. Es la que hace suya la ideología del progreso, del orden y de la superioridad de unos hombres sobre otros.

Los unos son ellos, los otros los indígenas. También en su momento lo habían sido los gauchos. O los negros. Los "otros" son aquellos que no participan de las pautas culturales que vienen desde Europa o Estados Unidos, los centros "blancos" que dominan al resto del mundo, que además no es blanco.

No ser blanco es ser inferior. El hombre blanco es

superior, porque trae los ferrocarriles, los telégrafos, los Remington, trae la civilización. El hombre de otra piel no tiene nada de ello.

El hombre blanco tiene cosas, posee. El hombre de otra piel no tiene nada, no crea nada y por lo tanto no es nada. El hombre blanco desprecia entonces al hombre de otra piel. Esta actitud es todo un modelo social, cultural y económico. Un modelo del desprecio que triunfó en nuestro país y que se apoyó en la violencia, la que se abatió cruel sobre las comunidades indígenas libres.

El general Roca, símbolo de la "solución final"

Alsina murió a fines de 1877 y le sucedió en el cargo de Ministro de Guerra el general Julio Argentino Roca, que se convirtió en el arquetipo de la "solución final" al "problema" indígena, defensor de la guerra ofensiva sin concesiones.

Roca se había opuesto desde el principio a la zanja de Alsina, pues creía que era un recurso defensivo que demoraba la superación del conflicto. Sus ideas eran otras: penetrar a fondo el territorio indio, y aniquilar a las comunidades o bien empujarlas más allá del río Negro. Estos objetivos fueron presentados al Congreso de la Nación, acompañados de un proyecto de ley en agosto de 1878. En el discurso que pronunció Roca en el Congreso en esa ocasión calificó a los indios de bárbaros, salvajes y bandoleros.

Durante todo el año 1878 y parte de 1879, Roca dirigió una ofensiva preliminar con pequeños contingentes de desplazamiento rápido, a fin de ir desgastando a los indígenas mientras preparaba la expedición final.

En enero de 1878, el coronel Levalle atacó a Namuncurá en sus toldos de Chiloé provocándole doscientos muertos; en octubre repitió la maniobra, y los indios perdieron a casi treinta guerreros.

El cacique Pincén. Fotografía de Antonio Pozzo, 1878.

En noviembre, *Juan José Catriel se entregaba prisionero* en Fuerte Argentino, con más de quinientos hombres.

El retroceso indígena empezaba a hacerse indudable y las pérdidas aumentaban en cantidad y calidad: en noviembre, fue sorprendido y *capturado el cacique Pincén*, junto a veinte de sus mejores hombres. Un alivio generalizado se extendió por Buenos Aires al conocerse la caída del cacique más rebelde, quien fue trasladado a la isla Martín García como prisionero.

Roca descubrió que el modo más eficaz de desmoralizar a los indios era capturar a sus grandes caciques. Después de Catriel y Pincén, fue el turno de Epumer, que cayó prisionero en Leuvucó ese mes de diciembre. También se perseguía tenazmente a Namuncurá, que en marchas forzadas consiguió eludir las sucesivas trampas que le tendieron. Pero no pudo impedir los ataques a sus tolderías, donde los indígenas morían por centenares. Lo mismo sucedió con las bandas de Pincén, perseguidas sin respiro. En 1879 cayó en una batalla el cacique *Lemor.*

El plan de desgaste tuvo resultados favorables para Roca; *Epumer, Pincén y Catriel, tres de los máximos caciques, estaban prisioneros; 400 indígenas habían muerto; otros 4.000 capturados; 150 cautivos rescatados.* Las comunidades libres de Pampa y Patagonia se hallaban ahora debilitadas y se preparaban a recibir el asalto final. *Namuncurá y Baigorria, libres aún*, eran la vanguardia de las ya frágiles líneas de defensa indígenas. Más al sur, *Sayhueque* y los tehuelches eran la retaguardia que también se preparaba a luchar, presintiendo que sus anhelos de paz se deshacían como barro.

Pampa y Patagonia arrasadas: la "Conquista del Desierto"

La llamada "Conquista del Desierto" fue *el último eslabón de una paulatina campaña de exterminio y desintegración cultural que, salvo excepciones, se estaba llevando a cabo sistemáticamente desde hacía más de medio siglo.*

Lo más conocido de esta "Conquista" es la acción conducida por Roca entre abril y mayo de 1879; es lo que pasó "a la historia". Sin embargo, fue sólo la primera etapa. La segunda, las acciones finales, se llevaron a cabo entre marzo de 1881 y enero de 1885, cuando cayó Sayhueque, el último de los grandes caciques de los territorios libres de Patagonia.

Primera etapa: dos meses furibundos

Se ponía en marcha la más grande expedición llevada a cabo contra los indígenas: 6.000 soldados equipados con la última palabra en armamento. La primera división, con casi 2.000 hombres *(105 eran soldados indígenas)*, al mando personal de Roca, partió desde Carhué el 29 de abril de 1879 y un mes después ocupaba Choele Choel, lugar clave para los indios, que ya no serviría como lugar de paso de los arreos de ganado hacia Chile.

La segunda división, al mando del coronel Levalle tenía por objetivo el paraje Trauru-Lanquen en el actual partido de General Acha en La Pampa. Llevaba 450 soldados de los cuales *125 eran indios del cacique Tripailao.* Entre las acciones más destacadas pueden mencionarse el ataque a parte de las bandas de Namuncurá, donde murieron los capitanejos *Agneer y Querenal.*

La tercera división a cargo del coronel Racedo contaba con 1.352 hombres y se dirigía a Poitahué. Integraban la columna *246 soldados al mando de Cuyapán y*

Simón Coliqueo así como también un escuadrón de ranqueles. Racedo persiguió a Baigorrita, y aunque no pudo capturarlo, le tomó prisioneros a 500 indíos.

La cuarta división al mando del teniente coronel Uriburu partió desde Mendoza con destino a la confluencia de los ríos Limay y Neuquén, arrasando a su paso con tehuelches, araucanos y los diezmados ranqueles. La resistencia indígena frente a la profunda embestida de las fuerzas nacionales se hizo desesperada. El cerco sobre *Baigorrita* se fue estrechando hasta que después de una resistencia heroica cayó muerto en combate junto a cinco de sus guerreros. Esta división obtuvo un resultado de mil ranqueles muertos (entre combates y pestes) y 700 prisioneros, muchos de ellos caídos por la desmoralización ante la muerte de Baigorrita.

La quinta división, al mando del teniente coronel Lagos, partió desde Trenque Lauquen, y tomó 629 prisioneros, entre los que se contaron caciques y capitanejos.

Los resultados de este primer ataque a fondo fueron: la ocupación de la llanura hasta más allá de los ríos Negro y Neuquén; la creación de numerosas fortificaciones; la recuperación de 500 cautivos; y lo principal, diezmaron a las comunidades indígenas. De acuerdo con la *Memoria del Departamento de Guerra y Marina* de 1879 los resultados en este último aspecto fueron los siguientes:

5 caciques principales prisioneros
1 cacique principal muerto (Baigorrita)
1.271 indios de lanza prisioneros
1.313 indios de lanza muertos
10.513 indios de chusma prisioneros
1.049 indios reducidos

En total, *los indígenas tuvieron 14.152 bajas*. Un récord que alegró a Buenos Aires y que ensombreció los rostros duros de los últimos caciques, empujados cada vez más hacia el sur, en una frontera que ahora se extendía sobre los ríos Neuquén y Negro.

Pese a este panorama, y a algunas bajas más (como la captura del cacique Purrán en 1880) los indios siguieron peleando con sus últimas fuerzas: varios malones cayeron sobre localidades fronterizas de Mendoza, Neuquén, Córdoba, San Luis y Buenos Aires; el 19 de enero de 1881, unos 300 araucanos armados con Winchesters atacaron fortín Guanacos matando a 30 de sus ocupantes; y en agosto, en medio de una campaña "punitiva" fueron muertos 16 soldados del Regimiento 1º de Caballería. El general Roca, que ahora era presidente de la Nación, decidió reiniciar las operaciones.

Segunda etapa: caída de los últimos baluartes

A principios de 1881 se dispuso la movilización de casi dos mil soldados. El objetivo era la captura de *Sayuheque* y *Reuque-Curá*, pero se mantuvo gran cantidad de enfrentamientos, con su secuela de indios muertos y tolderías destruidas. Se combatió hasta las inmediaciones del lago Nahuel Huapi.

Los caciques, lejos de rendirse, lanzaron la famosa consigna *"es preferible morir peleando que vivir como esclavos"*. El 16 de enero de 1882 atacaron el fuerte General Roca con más de mil guerreros pero fueron rechazados. El capitán Gómez, jefe de la guarnición, juntó los cadáveres y les prendió fuego. El 20 de agosto los ranqueles mataron a veinte soldados en Cochicó, La Pampa.

Pero eran los últimos ataques de una resistencia que se deshacía: dispuestas a vender cara la derrota, las comunidades indígenas libres se preparaban a recibir una nueva campaña, ahora al frente del general Villegas con más de mil cuatrocientos hombres, divididos en tres brigadas.

La primera brigada provocó la muerte de 120 indios, la captura de 448, y la *"presentación"* (rendición) de otros 100.

La segunda brigada persiguió a *Namuncurá, Ñancucheo* y *Reuque-Curá*. Los dos primeros lograron escapar, no así Reuque, que cayó prisionero. La persecución dejó como saldo cien indios muertos y setecientos prisioneros.

La tercera brigada se lanzó sobre Sayhueque, con resultado negativo, pero 143 indios muertos y 500 prisioneros debilitaron en grado sumo su poder.

La campaña de Villegas de 1882 expandió la frontera a toda la provincia de Neuquén, defendida por quince nuevos fortines y fuertes; 364 indígenas habían resultado muertos y más de 1.700 prisioneros.

El 24 de marzo de 1884, extenuado, Namuncurá se rendía con 331 de sus hombres. Hacia la misma época el gobernador de la Patagonia, general Vintter, dispuso el ataque final contra Sayhueque e Inacayal. Los caciques se prepararon para el combate final. El sueño de ser libres se terminaba, pero intentaron organizar unidos la última defensa.

Muchos guerreros de Inacayal estaban armados con carabinas y fusiles Martiny-Henry; pero no alcanzó. En distintos combates murieron los caciques *Queupo, Meliqueo, Manquepu y Niculmán* y el 18 de octubre se libró la que se considera la última batalla: *Inacayal y Foyel* fueron derrotados por el teniente Insay, perdieron 30 hombres y cayeron ellos mismos prisioneros.

Definitivamente solo, agotado por la huida permanente, abatido por la creciente desmoralización de sus fuerzas, *Sayhueque se rindió el 1º de enero de 1885, presentándose con 700 guerreros y 2.500 indios "de chusma" en el fuerte "Junín de los Andes".*

Todo había terminado. El suplicio de tener que soportar una persecución despiadada e incesante tocaba a su fin. El gran Sayhueque, el último de los irreductibles, cansado, hambriento, aterido, infinitamente triste en su derrota, es el símbolo del último capítulo del drama de los indios resistiendo al conquistador del "desierto". Ese desierto que los indios se habían encargado por miles de años de llenar de vida.

El exterminio de las comunidades indígenas libres de Pampa y Patagonia había concluido. En el período 1878-1884 murieron unos 2.500 indígenas, condición necesaria para consumar la obra posterior: el despojo de la tierra, la división política de los territorios ocupados, la transformación económica y el reemplazo de la población original por los colonos blancos.

El fin de los grandes cacicazgos

Así como las poderosas jefaturas fueron un factor decisivo en la consolidación de los araucanos en Pampa y Patagonia, la desaparición de las mismas tuvo mucho que ver en la derrota y desintegración cultural de las comunidades libres.

El cacique era el aglutinador de comunidades, guía indiscutido en las campañas bélicas o sabio conductor de la cotidianeidad. Y en una guerra sin cuartel como la que se libraba desde hacía años, la eliminación de esos jefes por parte del bando oponente significaba un avance notable hacia la victoria.

Así lo entendieron quienes desde los poderes centrales de la Nación vislumbran que golpear a esos hombres idolatrados, equivalía a una desmoralización que es la antesala de su derrota.

En sesenta años (1827-1885) los principales caciques son objeto de una persecución sistemática, muriendo la gran mayoría de ellos en forma violenta.

El despojo de la tierra y la desintegración cultural

Para los indios la tierra es la vida. Y la tierra, con todas las cosas que ellos conocen, valoran y aman, es sagrada. Es mucho más que la posesión de un territorio.

La "Conquista del Desierto" fue un despojo de la tierra, porque era propiedad legítima de las comunidades originarias. Sólo el uso de la fuerza pudo consumar el despojo. No hay justificativos. Ni siquiera la necesidad del Estado argentino de alcanzar su constitución jurídica definitiva.

Los indios no sólo perdieron la tierra. Ingresaron de lleno en la desintegración cultural, provocada por un conjunto de factores, todos consecuencia de la "Conquista del Desierto": el exterminio; la prisión; el confinamiento en "colonias"; los traslados a lugares extraños y distantes de su tierra natal; la incorporación forzada de nuevos hábitos y/o formas de vida; la supresión compulsiva de las costumbres tradicionales; el desmembramiento de las familias; las epidemias.

CAÍDA DEL BASTIÓN CHAQUEÑO

Mientras las comunidades de Pampa y Patagonia sufrían un ataque tras otro y perdían la libertad a pesar de su tenaz resistencia, el Chaco esperaba su hora. Entre 1848 y 1870, las comunidades guaikurúes y mataco-mataguayas mantuvieron libres sus territorios mientras las fuerzas nacionales consolidaban las fronteras, firmando tratados, y, cuando podían, haciéndoles la guerra.

Entre obrajes, batallas y penurias

Finalizada la guerra con el Paraguay la atención de la Nación se volvió otra vez sobre el Chaco y comenzaron a realizarse expediciones para debilitar a los guaikurúes. La primera, en abril de 1870, partió al mando del coronel Uriburu con 250 hombres. Logró negociar con algunos caciques para que no atacaran los poblados fronterizos, así como también revisó las condiciones de trabajo de los indios sometidos en los obrajes. Pese a las mejoras, estas condiciones siguieron siendo deplorables. De todos modos, eran pocos los indios con que se podía contar para las nuevas actividades económicas de la región, porque la mayoría seguía en la resistencia.

Entre 1872 y 1874 los tobas atacaron varias veces a las fuerzas nacionales.

Una segunda expedición, esta vez al mando del coronel Manuel Obligado, partió de Resistencia en agosto de 1879, con más de 120 hombres para desalentar los intentos de *Cambá y Juanelrai (a) "el inglés"*, dos de los máximos caciques tobas que planeaban atacar Resistencia. En permanentes escaramuzas ambos bandos perdieron muchos hombres, pero fueron los indios los que más sufrieron.

La región siguió militarizándose cada vez más: en 1880 se realizó la tercera de estas campañas, dirigida por Fontana, secretario de la gobernación del Chaco, y en 1882 la cuarta expedición, al mando de Sola, con la misión de reconocer las costas y territorios adyacentes al río Bermejo. A poco de andar, los 70 hombres que componían esta expedición se perdieron en el monte chaqueño y estuvieron vagando extraviados durante casi cuatro meses, hasta que por azar encontraron la ciudad de Formosa.

Como vemos, el enemigo no era solo el indio, sino que con él colaboraba una naturaleza que expulsaba a los intrusos que no conocían sus secretos.

Sin embargo, los intentos volvieron a sucederse uno tras otro, sin descanso, y entre mayo de 1883 y marzo de 1884 hubo por lo menos diez enfrentamientos que provocaron casi un centenar de muertos entre los indígenas.

La quinta expedición se enfrentó en mayo de 1883 con Juanelrai, máximo cacique de los tobas, en Napalpí, en una batalla donde perdió la vida gran cantidad de guerreros. La sexta se concentró en la busca de los caciques, estrategia destinada a desmoralizar y debilitar al adversario, como se había hecho en Pampa y Patagonia. Pero las penurias son terribles para los expedicionarios, que pierden permanentemente hombres, mulas y caballos a manos de los indios, las serpientes, el cansancio y el hambre.

La séptima de estas expediciones contribuyó a empujar a las comunidades libres hacia el norte del río Bermejo.

Los escarmientos de Victorica

Las siete expediciones descriptas son el equivalente al plan de desgaste preliminar llevado a cabo en Pampa y Patagonia en 1878, y podríamos señalar otro parecido: la campaña de Roca de 1879 se corresponde en el Chaco con lo sucedido en 1884, cuando el ministro Victorica encabezó una gran ofensiva que, si bien no sometió completamente a las comunidades libres, les infligió daños que serían irreparables: la dispersión de los principales grupos, la muerte de los máximos caciques y la prisión de infinidad de guerreros. La *muerte de Juanelrai* (a) "el inglés" junto a muchos de sus guerreros inició en el Chaco el fin de los grandes cacicazgos. Muchas comunidades se "presentan" (es decir, se rindieron) con los caciques a la cabeza. Más de 5.000 indígenas fueron sometidos sin combatir.

"Famoso hechicero Carancho. El más famoso del Pilcomayo". Viste un poncho pilagá. Archivo Gral. de la Nación.

El gobernador del Chaco, coronel Ignacio Fotheringham apresó al *cacique Yaloshi*, y lo mandó ahorcar, dejándolo durante días al pie de un corpulento quebracho, "para escarmiento". Lo mismo sucedió con *Cambá, máximo cacique de los tobas*, quien después de un terrible combate fue acuchillado y degollado, y su cabeza quedó expuesta para escarmiento de sus guerreros. El terror se apoderó de los hombres del gran cacique, quienes llevaron durante muchos años, en medio de una dispersión total, el recuerdo del terrible fin de su jefe.

El ocaso de los dueños de los ríos

Pero el exterminio no se detuvo ahí. En 1885, el año siguiente a la campaña de Victorica, murieron 300 indios en distintos enfrentamientos, entre ellos los caciques mocovíes *Saignón* y *Josecito*. El *cacique toba Emak* se hizo fuerte en el río Pilcomayo y lanzó la consigna que rápidamente adoptó el resto de las comunidades libres: *"nosotros somos los dueños del río"*.

La respuesta fue el envío de una fuerza al mando del coronel Gomensoro y un ataque masivo que culminó con la muerte de Emak y casi cien de sus hombres. El desbande fue absoluto y decenas de tobas se arrojaron al río, perdiéndolo todo, porque la toldería desaparecía bajo las llamas del incendio dispuesto por los vencedores.

La campaña de Gomensoro continuó, arrasando por lo menos otras diez tolderías, entre las que estaban las de los *caciques tobas Nichogdi y Diansok*, que también cayeron en los combates.

En 1899 el jefe de las fuerzas militares del Chaco, general Vintter, lanzó una ofensiva contra los tobas y mocovíes rebeldes, quienes poco antes habían atacado las localidades de Florencia y La Palomita en un intento de impedir la conquista de sus territorios.

Durante el año 1900, los últimos ataques de las

fuerzas nacionales contra los indígenas lograron un desbande total. Las comunidades, dispersas, huyeron en todas direcciones abandonando las tolderías.

La consumación del genocidio

En 37 años (1862-1899) murieron en el Chaco cerca de mil indígenas. Pero la caída del bastión chaqueño significó algo más. Fue la consumación del genocidio, iniciado en 1820.

Si recordamos que entre 1821 y 1848 habían sido muertos en Pampa, Patagonia y Chaco un total aproximado de 7.587 indígenas; que para 1862-1899 en el Chaco se sumaron mil muertos más, y que entre 1849 y 1884 perdieron la vida en Pampa y Patagonia otros 3.748, podemos afirmar que *entre 1821 y 1899 fueron exterminados en los territorios libres de Pampa, Patagonia y Chaco un total de 12.335 indígenas araucanos, vorogas, ranqueles, tehuelches, pehuenches, mocovíees, abipones y tobas, como fruto de las campañas de aniquilamiento del Estado nacional en su afán por conquistar aquellos territorios*.

Como ya hemos dicho en otra parte, estas cifras se refieren sólo a los muertos en combate; no incluyen a los muertos por las epidemias que diezmaron a comunidades enteras.

Hay que tener en cuenta que en este período, en promedio, la población indígena de Pampa y Patagonia era de unos 45.000 habitantes, y otro tanto la de Chaco, lo que da un resultado del 14% de la población suprimida por vía violenta.

Para cerrar este panorama, digamos que si agregáramos los 4.000 guaraníes que murieron durante la insurrección de Artigas y Andresito (1816-1819) y los otros tantos yámanas y onas desaparecidos entre 1880 y 1900, concluimos que *durante el siglo XIX, a consecuencia de las operaciones militares (Pampa, Patagonia, Chaco) y campañas colonizadoras (Extremo Sur) emprendidas por el Estado, y las operaciones realizadas por potencias extranjeras (imperio portugués en el Litoral) murieron por vía violenta no menos de 20.000 indígenas.*

La acción de la Iglesia

En su acción con las comunidades indígenas, la Iglesia ha desempeñado tres roles que muchas veces se superpusieron:

- protectora de los indígenas;
- intermediaria entre los indígenas y el poder político (como por ejemplo en las gestiones para el canje de cautivos);
- realizadora de las estrategias ordenadas por el poder político; esta postura la llevó muchas veces a contribuir a la desintegración de las culturas autóctonas, por ejemplo al anular autoritariamente las costumbres tradicionales, e imponer una religiosidad extraña.

La Iglesia terminó casi siempre obedeciendo las políticas del Estado, y en pocas circunstancias mantuvo una postura independiente que le hubiera permitido actuar con mayor libertad y con mayor beneficio para los aborígenes.

Primeros pasos

Durante la Conquista ingresaron muchos misioneros en nuestro territorio para evangelizar a los indios. Los más organizados fueron los jesuitas, que realizaron

"Familia toba con casa". Archivo Gral. de la Nación.

su tarea entre 1600 y 1768. Su actividad más conocida fue entre los guaraníes, pero también trabajaron en otras regiones: en la provincia de Buenos Aires y mucho más al sur, en el lago Nahuel Huapi, donde el padre Nicolás Mascardi emprendió cuatro expediciones de reconocimiento, y terminó explorando gran parte de la Patagonia. En 1674 murió a manos de un grupo de tehuelches que se resistieron al mensaje de conversión.

Producida la Independencia y después de algunos reacomodamientos, la Iglesia continuó su labor. Hacia 1874 había cuatro misiones entre los ranqueles "pacíficos": Villa Mercedes, Sarmiento, Villa Real y Lincuén, con cerca de mil pobladores en total.

Monseñor Aneiros y los "ladrones del Paraíso"

Aneiros, segundo arzobispo de Buenos Aires a partir de 1873, cumplió una obra intensa con los indígenas. Era partidario de una política autónoma de la Iglesia, separada del gobierno nacional.

Entre 1873 y 1879 fundó centros de acción misionera que en muchos casos sirvieron para conocer y valorar a los indios. Los mismos misioneros reconocieron las virtudes de la vida indígena.

En enero de 1874 se fundó la misión del Azul, con la aceptación del cacique Cipriano Catriel, aunque poco después su sucesor Juan José la hizo desaparecer.

Aneiros quería llevar el mensaje evangelizador "por lo más al interior del desierto" y para ello envía al misionero Jorge Salvaire a Salinas Grandes. A fines de 1875 Namuncurá recibió a Salvaire y durante cinco días sostuvieron un "gran parlamento", aunque sin mayor éxito.

En 1876 el padre Savino se instaló en los campos del cacique Coliqueo, dando origen a una misión y al pueblo de Los Toldos, que hoy sigue existiendo.

Durante esos años, la misión instalada desde hacía ya mucho tiempo en Carmen de Patagones (1780) cobró nuevo impulso con un plan de educación que incluía un colegio para mujeres indias que podían egresar como maestras para su gente.

Esta línea de acción de la Iglesia era positiva y podría haber dado buenos resultados. Pero la "Conquista del Desierto" le puso fin. El ejército desalojó a los misioneros, cuya única función en adelante fue asistir a prisioneros enfermos o bautizar a los moribundos. En 1879 había 700 indios prisioneros sólo en la isla Martín García y hacia allí dirigió Aneiros sus esfuerzos, enviando misioneros para la ayuda de esos hombres, mujeres y niños destruidos por la fiebre y por haber perdido todo. La viruela sobre todo hacía estragos. Los misioneros y las Hermanas de la Caridad, con ayuda de enfermeros indios, lograron salvar muchas vidas.

Fue por ese entonces que el padre Birot acuñó la frase "ladrones del paraíso" refiriéndose a los indios, quienes eran convertidos en unos pocos días y se "robaban" el cielo (es decir, lo obtenían a muy bajo costo). También se bautizaron algunos caciques en Buenos Aires —Juan José y Marcelino Catriel, Juan Melideo, Cañumil y Faustino Huanchiaquil— con ceremonias especiales como la realizada en 1879.

EXTINCIÓN EN EL EXTREMO SUR

¿Qué sucedía mientras tanto en el Extremo Sur? ¿Qué pasaba en aquellos parajes olvidados, en lo que hoy es la Tierra del Fuego, donde convivían los onas y los yámanas, desparramados sobre las islas del confín del continente?

Hacia 1880 —fecha de la llegada de los primeros colonos— los onas sumaban de 3.500 a 4.000, y los yámanas otro tanto. De inmediato comenzó el derrumbe. El trabajoso poblamiento conformado durante miles de años fue pulverizado en dos décadas: a principios de este siglo quedaban apenas mil indios.

Las causas son muchas. Pero una vez más, en el centro de todas ellas, encontramos el choque con la "civilización blanca".

El martirio de los onas

Los colonos, especialmente los criadores de ovejas (otros fueron los buscadores de oro y los "bolicheros") necesitaban vaciar el territorio. Los colonos se convirtieron en despobladores, y su llegada produjo *matanzas*, traslados y epidemias que diezmaron a los indios. Los onas quedaron encerrados entre dos fuegos, porque a la penetración colonizadora argentina se agregó la presión chilena que desde Punta Arenas provocó la huida de los indígenas hacia el interior y el sur de la isla.

Las *enfermedades* fueron otro factor de despoblación. Epidemias de sarampión, neumonía, difteria, tisis y gripe, aniquilaron a los onas. Ni siquiera la misión salesiana de Río Grande (fundada en 1893) quedó a salvo de la gripe y la tuberculosis, que hacia fines de siglo mataron por lo menos a doscientos indios.

Igualmente graves fueron los *traslados y detenciones*. Los onas no resistían al shock producido por el arrebato súbito de su entorno familiar y social, el maltrato y el traslado a lugares insólitos para ellos como comisarías o ferrocarriles. Muchas veces los presos eran niños.

Pero el motivo principal de la casi extinción de los onas fueron *las matanzas planificadas* por los nuevos dueños de la tierra. Los estancieros contrataban *"cazadores de indios"*, que debían volver de sus "excursiones" con las pruebas de sus éxitos: orejas, testículos, senos o cabezas, piezas que eran cambiadas por libras esterlinas.

En la playa de Spring Hill cerca de quinientos onas murieron cuando comieron una ballena que los "cazadores" habían envenenado. No fue la única masacre. Hubo muchas otras, y aunque algunas fueron denunciadas por los salesianos y hasta por el Congreso Nacional, no se detuvieron.

Los onas también fueron objeto de ultrajes increí-

Cazadores onas, Tierra del Fuego, c. 1910.

bles: en 1899, en la Exposición Universal de Paris fueron expuestos en una jaula nueve de ellos que habían sido "cazados". Un letrero advertía a los visitantes: "Indios Caníbales".

Los escasos grupos de onas que pudieron resistir se fueron retirando cada vez más al sur, encabezados por *el jefe Kauchicol.* En 1901 quedaban en la misión salesiana 70 onas y en 1905 la despoblación se había consumado: la nación ona no alcanzaba los 500 individuos.

La desaparición de los yámanas

Desde las costas de Tierra del Fuego y las islas cercanas, los yámanas también fueron víctimas de la colonización blanca desde 1880. En esa fecha alcanzaban, junto con los alakaluf del lado chileno, un número de *siete mil quinientos*, casi el doble que los onas. Pero al igual que estos, fueron desapareciendo rápidamente. En 1890, quedaban mil yámanas; hacia 1910, no pasaban del centenar.

Al parecer no hubo matanzas sistemáticas, excepto los *"ejercicios de tiro"* que realizaban los navegantes europeos contra los isleños al atravesar los canales o los *envenenamientos organizados* por los loberos, que, al igual que los colonos, necesitaban territorios "limpios" de indios. Lo decisivo fueron las *epidemias*: sarampión (1884); neumonía y tuberculosis (1886) hicieron que los yámanas murieran por centenares.

Dilución cultural en el Noroeste

Mestizos y collas

El fin de la resistencia indígena del Noroeste durante el siglo XVII tuvo dos consecuencias principales: en primer lugar, el mestizaje hispano-indígena; en segundo, la aparición de una nueva etnia, los *collas*, síntesis de diaguitas y omaguacas, apatamas y grupos de origen quechua y aymara procedentes de Bolivia.

Los collas pertenecen a la forma tradicional de vida andina, con elementos culturales como la economía pastoril de altura; el cultivo de papa y maíz; la recolección de algarroba y sal; la construcción de viviendas; la medicina tradicional y las técnicas de adivinación; los instrumentos musicales como erques, quenas, pinkullos, sikuris y cajas; el culto a la madre tierra e innumerables creencias, rituales (*rutichico*, corte de pelo como rito de pasaje) y prácticas sociales (el *sirvinacuy*, matrimonio de prueba). La antigua religión se fundió con el cristianismo, en una nueva forma que ha sido llamada "religiosidad popular".

El proceso particular que sufrió el Noroeste hace que esta cultura colla no sea estrictamente indígena sino mestiza, lo que nos permite de todas maneras ubicarla en el campo aborigen, por su historia cultural y por su participación en el contexto, regional y nacional, de pobreza y marginalidad.

Rebelión y dispersión en la Puna

Durante el siglo XIX el Noroeste también fue escenario de la lucha por la tierra. Los flamantes estados provinciales procuraron apoderarse de las posesiones indígenas que en muchos casos estaban en situaciones legales confusas desde la época colonial. El problema era que en muchas de esas tierras vivían comunidades enteras.

En 1872 el gobierno de Jujuy aceptó el reclamo de un grupo de indígenas y declaró fiscales a tierras de Casabindo y Cochinoca que hasta ese entonces estaban en poder de los terratenientes Campero. Esta victoria legal sumada al triunfo de la insurrección de medio millón de indios en Bolivia que recuperaron sus tierras en 1871, alentó esperanzas en las comunidades puneñas.

Pero fueron esperanzas fugaces, porque el gobernador Sánchez de Bustamante, amigo de los indígenas fue derrocado por los intereses terratenientes. Se inició la resistencia indígena, y la correspondiente represión. El líder Anastasio Inca fue ejecutado, los otros cabecillas fueron detenidos y las comunidades dispersadas.

A fines de 1874, alrededor de mil doscientos indígenas tomaron las ciudades de Yavi, Santa Catalina, Rinconada y Cochinoca. En Quera, un paraje vecino a Cochinoca, el 4 de enero de 1875 ambos bandos libraron una fiera batalla en la que los indígenas terminaron derrotados: *doscientos guerreros fueron muertos* y otros tantos quedaron prisioneros. La dispersión indígena fue total: los departamentos rebeldes fueron ocupados por el ejército, las autoridades repuestas en sus cargos, y muchos de los rebeldes ejecutados.

La situación de las comunidades guaraníes

Mientras tanto, los aguerridos guaraníes luchaban por preservar sus derechos. Estaban en los extremos nordeste y noroeste del país, en la provincia de Misiones y el Chaco salteño respectivamente. Allí resistieron unos cuantos miles, entre mbyá y chiriguanos.

En todo el Litoral y Mesopotamia, durante todo el siglo XIX, los grupos originarios, chaná timbúes y charrúas, se fueron diluyendo o extinguiendo. En cuanto a los pocos guaraníes sobrevivientes de las Misiones y de las luchas de Andresito, se habían dispersado totalmente.

Pero la tradición no se perdió, porque grupos de origen *mbyá*, provenientes del Paraguay, penetraron en el territorio misionero a mediados del siglo pasado, reemplazando a las comunidades hermanas casi desaparecidas.

A fin de siglo, estos grupos, también conocidos como *kainguá,* se mantenían en comunidades libres, practicando su agricultura tradicional. Pero los hombres empezaban a trabajar en los ingenios y plantaciones y en algunos casos se incorporaban al ejército. También apareció un tipo humano desconocido hasta entonces y que empezó a rodearlos: el colonizador extranjero que llegó a Misiones en oleadas sucesivas polacos, ucranianos, austríacos, franceses, italianos, españoles, suizos, alemanes, belgas, se superpusieron a la población original argentina (criolla y mestiza), paraguaya y brasileña.

Como una débil cuña, grupos dispersos de cazadores *caingang* (de origen ge) se desplazaban por el sector noroeste de la actual provincia de Misiones, buscando un hábitat apto para la subsistencia.

Casi en el otro extremo del mapa, los "hermanos" guaraníes del Chaco salteño, los chiriguanos, habían permanecido relativamente aislados de los conflictos regionales. Los chiriguanos, con una población que crece ayudada por las constantes migraciones desde Bolivia, se mantuvieron en sus comunidades con una fuerte continuidad de sus patrones culturales. Pero la expansión de la sociedad nacional hace que desde mediados del siglo XIX sufran la creciente incorporación a la realidad económica del contexto regional, y segundo, la misionalización.

En cuanto a lo primero, el desarrollo de la industria azucarera en Salta y Jujuy crea la necesidad de contar con braceros aptos que además de resultar baratos fueran capaces de soportar los rigores de un trabajo durísimo y un clima sofocante. Esos braceros eran los chiriguanos que se trasladaban desde las comunidades hacia los ingenios, especialmente en la época de las cosechas.

Los franciscanos están instalados en Bolivia desde principios del siglo XVII, y revitalizan su tarea hacia mediados del siglo XIX desde los Colegios de Tarija y el de Misioneros Franciscanos de Salta. Si bien los chiriguanos no recibieron inicialmente de lleno el impacto de la penetración religiosa (las primeras misiones se instalaron preferentemente entre los matacos) de todas maneras se creó en ellos un "terreno apto" para el proceso de evangelización que se llevaría a cabo en este siglo, especialmente desde el Centro Misionero Franciscano en la ciudad de Tartagal.

Composición étnica de la Argentina a fines del siglo XIX

Ahí vienen los inmigrantes

Hasta mediados del siglo XIX la conformación humana y cultural de la sociedad argentina es hispano-indígena. En las regiones Noroeste y Litoral el mestizaje fue intenso durante toda la etapa colonial y la posterior de la independencia. Este componente mestizo se suma a los sectores "blancos", criollos, a los que hay que agregar las comunidades indígenas libres, los negros y los herederos de las "castas" (mulatos y pardos o zambos).

Pero desde esa fecha interviene un nuevo componente: la inmigración europea. Es la segunda matriz cultural.

Hacia fines del siglo XIX, sobre un total de algo más de cuatro millones de habitantes que tiene el país, los nativos —criollos y mestizos— alcanzan un 75% mientras que los extranjeros llegan al 20%. El porcentaje restante, cerca de un 5% corresponde a los indígenas. Los negros, por su parte, virtualmente han desaparecido: las muertes por centenares en las luchas por la Independencia; los enfrentamientos intestinos durante todo el siglo y la guerra contra el Paraguay, las migraciones a otros países, la mestización y las pestes acabaron con este componente.

Las culturas indígenas: cuadro de situación

Los estudios más recientes, como el de Guillermo Magrassi (1982) calculan para el territorio argentino una población indígena de entre 800.000 y 1.300.000 en el momento de la Conquista. El proceso de despoblación se inició de inmediato, y avanzó sin pausas durante cuatrocientos años. Llegó a su punto culminante a fines del siglo XIX: en 1895 no había más que 180.000 (4,3% del total del país).

El cuadro de situación de las culturas indígenas a fines del siglo XIX presenta muchas diferencias con el panorama de cien años antes: para empezar, ya no existían culturas libres, a excepción de dos "manchones" en el Chaco salteño (chiriguanos) y en la actual provincia de Misiones (mbyá) que de todas maneras ya sufrían el "cerco" de la sociedad nacional en expansión; por lo menos cinco culturas se habían extinguido: tonocotés, lulevilelas, comechingones, sanavirones y chaná-timbués; otras siete se encontraban en vías de extinción acelerada: yamanas, onas, pehuenches, huarpes, diaguitas, omaguacas y apatamas. Las restantes culturas habían sido sometidas y se encontran en vías de confinamiento y/o "incorporación".

Las comunidades originarias, poco antes dueñas de inmensas extensiones, se habían convertido en minorías de un país que seguía sin entenderlas y sin considerarlas parte de él.

TERCERA PARTE

LA CUESTIÓN INDÍGENA

CAPÍTULO VI

DE SEÑORES DE LA TIERRA A MINORÍAS ÉTNICAS

La unificación definitiva de la nación, con la conquista de los últimos territorios indígenas libres no significó el fin de los problemas. Los albores del siglo XX presentaron otros hechos significativos: la antinomia Buenos Aires-Interior y la inmigración europea, que no fue exactamente la soñada por la generación del 80: eran blancos, sí, pero no ingleses y alemanes sino españoles e italianos, y como si esto fuera poco, pobres.

Luego, como fruto de la industrialización en las ciudades y el empobrecimiento del campo, comenzaron las migraciones internas desde las áreas rurales hacia los centros urbanos; estas migraciones pusieron en contacto a la población del "interior" (de ascendencia indígena o hispano-indígena) con la de las grandes ciudades (criollos, extranjeros o descendientes de extranjeros).

En lo político-institucional, la Argentina se vio sometida desde 1930 a una serie de "golpes de Estado" que atrasaron notablemente al país, generando en nuestra cultura buenas dosis de autoritarismo, mentalidad colonizada y retraso en todos los órdenes.

Tras la derrota en Pampa, Patagonia y Chaco, los

indígenas no tuvieron más remedio que participar de los problemas que iban conformando a la Argentina como nación, pero eran los más desprotegidos y menos preparados para enfrentarlos.

El Chaco no se había rendido

Las últimas rebeliones y el fin de las operaciones militares

En los primeros años de este siglo, la resistencia indígena había disminuido mucho, pero no había desaparecido por completo. Los colonos blancos seguían denunciando ataques esporádicos. El presidente de la Nación, Figueroa Alcorta dio instrucciones en 1908 al coronel O'Donnell, responsable de las fuerzas de ocupación del Chaco, para liquidar a los últimos rebeldes e incorporar al resto a las nuevas actividades agrícolas.

O'Donnell condujo a sus hombres hacia las entrañas del Chaco, empujando a las comunidades rebeldes hasta el río Pilcomayo. En campañas posteriores continuó la presión militar sobre los indios refugiados en el interior.

En 1918 grupos tobas atacaron las localidades de Laguna Yema y El Palmar, provocando varias muertes. En marzo de 1919, un grupo de pilagás cargó contra Fortín Yunka y realizó una matanza que tuvo gran difusión en todo el país. En 1923 otra vez los tobas atacaron el Fortín Nuevo Pilcomayo, con muchas víctimas entre sus defensores.

La resistencia de los pilagás se prolongó muchos años: en 1930 rodearon Ibazeta aunque no consumaron el ataque. Entre abril y mayo del año siguiente, Pampa del Indio, en el Chaco, fue asediada por los guerreros del *cacique Paulito*, y en 1933, *Ne-Lagadik*, uno de sus más importantes jefes, presentó combate en las inmediaciones del Fortín El Descanso. En 1936 tuvieron lugar los últimos enfrentamientos sobre la banda sur del río Pilcomayo. Muchos caciques fueron tomados prisioneros y las comunidades derrotadas.

A fines de 1938 el Ejército Argentino puso fin a las operaciones bélicas y de "limpieza" de un territorio militarmente pacificado.

La incorporación degradante al contexto regional

La pérdida de la tierra a manos de los propietarios de obrajes, algodonales e ingenios no fue la única desgracia para los indios. Para subsistir, debieron incorporarse como trabajadores a esas estructuras. Arrancados de su vida comunitaria, los indígenas sufrieron hasta bien entrado el siglo XX condiciones laborales denigrantes.

El tristemente célebre *sistema de vales* era moneda corriente entre los trabajadores indígenas. Consistía en otorgar papeles —en lugar de dinero— al final de los contratos; estos vales se canjeaban por mercaderías en la proveeduría, con lo cual nada salía del circuito comercial de la compañía.

El indio, después de agotadoras jornadas de trabajo, quedaba más pobre que antes. Era un sistema virtualmente esclavista, sin que faltara el castigo físico. No puede sorprender que, en la desesperación producida por este modo degradante de vida, los indios del Chaco se hayan sublevado, invocando sus tradiciones.

Las rebeliones sagradas: el regreso de los dioses.

Entre 1924 y 1937 se sucedieron tres rebeliones indígenas que buscaron recuperar la cosmovisión originaria, al mismo tiempo que generaron una nueva resistencia —otra más— a la opresión de la sociedad nacional.

Los mártires de Napalpí

El primero de estos movimientos se produjo en 1924, en la hoy llamada Colonia Aborigen Chaco, fundada en 1911 con el nombre de "Reducción de Indios de Napalpí". En ella había tobas y mocovíes.

La tierra había sido concedida por el Estado a los indígenas en carácter de ocupantes con título precario y la administración de la Colonia les exigió la entrega de un porcentaje de la cosecha algodonera. Esta quita obligatoria, sumada al constante crecimiento demográfico de la Colonia que provocó un gran hacinamiento, y el fuerte resurgimiento del chamanismo y las jefaturas, crearon el caldo de cultivo para el estallido de Napalpí.

Los *jefes-chamanes, el mocoví Pedro Maidana y los tobas José Machado y Dionisio Gómez,* encabezaron la sublevación, anunciando la próxima resurrección de los indios muertos.

Comenzó a correr la voz de que los indígenas se estaban armando; la prensa local colaboró con el clima represivo, calificando de "fanáticos" a los líderes religiosos.

El gobernador Centeno se entrevistó con los jefes indios pero las negociaciones no prosperaron: el movimiento indígena ya había tomado impulso, mientras que del lado del gobierno se pedía una represión enérgica.

El asesinato del *chamán Sorai* por la policía, y la posterior muerte de un colono francés, quizás como venganza, hicieron inevitable el enfrentamiento.

Los indígenas se atrincheraron en el campamento de Aguará, desarmados. Nunca pensaron seriamente en atacar a las fuerzas nacionales. El gobernador Centeno los rodeó con 130 hombres fuertemente armados.

Al amanecer del 19 de julio y mientras los indios bailaban, en la creencia de que con ello las balas no les harían daño, las fuerzas nacionales hicieron un fusilamiento masivo. Se dispararon cinco mil tiros y muchos de los muertos fueron posteriormente mutilados.

Se estima que doscientos indígenas perdieron la vida en la más horrenda masacre que recuerda la historia de esas culturas en el siglo XX. Los caciques Maidana y Gómez cayeron junto con sus hombres.

Tapanaik y el "culto del cargamento"

Entre 1933 y 1934, en Pampa del Indio, los tobas comenzaron a seguir a un nuevo profeta: Tapanaik, que anunciaba la llegada de aviones con cargamentos que pondrían fin a la pobreza de los indios. Sus predicciones fueron ratificadas por los "sueños reveladores" de muchos indios que también "vieron" a los aviones.

Pero los aviones nunca llegaron y el sueño de vivir en un mundo feliz se desmoronó rápidamente. La policía terminó con la rebelión y Tapanaik fue enviado a la cárcel.

Los "bastones" de Natochi

Nuevos grupos de tobas y mocovíes se reunieron entre 1935 y 1937 cerca de El Zapallar (hoy General San Martín) guiados por el chamán Natochi que predicaba la vuelta a las creencias tradicionales, profetizando una era de abundancia. Natochi entregaba a sus seguidores "bastones" realizando una transferencia de poder personalizada, individual, a diferencia de los otros movimientos, que fueron masivos.

La represión culminó con la dispersión de los indígenas y la huida de Natochi.

Estos "alzamientos sagrados" fueron sofocados, pero sirvieron para que la cultura indígena volviera a ponerse de pie. Napalpí, Pampa del Indio y El Zapallar demuestran que más allá de violentas represiones, conquistas militares, desarraigos o persecuciones, las comunidades indígenas mantienen viva una concepción del mundo que les da su propia identidad en la Argentina.

La agresión religiosa: continúa la desintegración cultural

Jesuitas y franciscanos

Los primeros en trabajar entre los tobas, con muchísimo esfuerzo y sacrificio, fueron los jesuitas. Estas comunidades opusieron seria resistencia a los misioneros sobre todo porque éstos pretendían hacerles abandonar su medicina tradicional a cargo de los chamanes. Un valioso testimonio del trabajo jesuita son las crónicas de Martín Dobrizhoffer entre los mocovíes primero y los abipones después.

En cuanto a los franciscanos, el primer antecedente es de 1780, con una misión sobre el río Bermejo, que duró muy poco por el acoso permanente de los indios.

El excesivo autoritarismo impuesto en el Reglamento de las Misiones Franciscanas, aprobado por resolución ministerial de 1914, no contribuyó al acercamiento de los indios: estaban obligados a concurrir a misa; se prohibía el ejercicio de la medicina a los "curanderos, médicos o brujos", así como "llevar los enfermos al monte para ser atendidos por ellos"; se prohibía todo juego de azar, naipes, dados, además de las diversiones y juegos "bárbaros y salvajes".

En marzo de 1943, el Comisario provincial de las Misiones Franciscanas elevó un informe de la situación general, que traslucía muy poco optimismo, justificadamente. La ignorancia de los misioneros y los funcionarios del gobierno, resultado de su desprecio por la cultura indígena, los hizo fracasar una y otra vez.

Los protestantes

Los primeros misioneros protestantes que lograron instalarse entre los tobas de Salta y Formosa fueron los *anglicanos*. En 1932 comenzó sus actividades en esas provincias la misión Emmanuel. Hacia 1942, el pastor Johanson anunciaba la conversión de dos mil tobas y pilagás en Formosa.

Los *menonitas*, provenientes del estado norteamericano de Indiana, comenzaron su tarea en el Chaco en 1943, fundando una misión que se convirtió en un "modelo comunitario": además de las asambleas religiosas, se organizó en ella un centro asistencial, una escuela y un almacén.

Los *pentecostales* fundaron la primera misión en 1941. Esta Iglesia fue la que más se desarrolló en la zona. En 1946 tenía once misiones entre las comunidades tobas de Chaco y Formosa (frente a siete anglicanas en Salta y Formosa y tres menonitas en el Chaco.) En el éxito del pentecostalismo influyó también la acción desplegada por *el cacique general Pedro Martínez*, que por los años 40 fue el vínculo entre el primer gobierno justicialista y las comunidades tobas.

Es difícil entender por qué los indios se sintieron tan atraídos por estos cultos, que colaboraron en su desintegración cultural. Algunos autores piensan que se debió a la identificación de la Iglesia Católica con el Estado represor. Además, el catolicismo carece de las manifestaciones de trance a las que estaban habituados los tobas en su contacto con lo sagrado. Otros piensan que los indios "reciclaron" muchos de los principios de los cultos protestantes, adaptándolos secretamente a sus creencias.

Lo cierto es que la intervención religiosa afectó notablemente a los indios, sobre todo por *la "guerra" contra el chamanismo* impulsada por los misioneros y continuada hasta hace muy poco tiempo por la Iglesia: en la conferencia de misioneros en 1946 se resolvió negar la comunión a los chamanes que persistieran en sus rituales.

EL NOROESTE AGUANTA: CHIRIGUANOS, MATACOS (WICHÍ) Y COLLAS

Los *chiriguanos*, ubicados en el Chaco occidental, en las provincias de Salta y Jujuy, desde fines del siglo pasado y principios de éste resisten culturalmente. La lucha por la tenencia de la tierra, la explotación económica a que son sometidos los trabajadores en ingenios, plantaciones, obrajes o quintas; la pérdida paulatina de las prácticas tradicionales —caza, pesca, recolección, agricultura— o las dificultades crecientes para llevarlas a cabo, debido a la presión de la sociedad nacional que las rodea, mantienen a las comunidades en una actitud de defensa cotidiana.

Las sublevaciones más importantes se produjeron en 1875 y 1893; desde entonces, el hombre blanco se convierte en el *"caray pochi", el blanco malo, tirano o perverso*. Los *wichí (los que participan de la vida plena)* o matacos (en castellano antiguo algo así como "animal sin importancia", bautismo realizado por los españoles) vivieron escondidos en el monte cuanto pudieron (aún hoy existen grupos que permanecen en esa situación), hasta que comenzaron a ser incorporados a la economía regional en calidad de mano de obra superbarata.

Recluidos en sus aldeas, lograron mantener muchas de sus prácticas ancestrales, defendiéndose de la explotación y las enfermedades traídas por los blancos. Continuaron con su caza, su pesca, su recolección, sus artesanías, sus creencias y sus ritos.

A pesar de su escasísimo número, *chorotes, tobas y chulupíes*, quizás ayudados por su situación geográfica marginal, consiguieron ir subsistiendo. La mayoría de ellos, asentados a la vera del río Pilcomayo, en el confín norte de la Argentina, son todavía hoy el testimonio de una forma de vida que se niega a morir.

Más hacia el oeste, en pleno Noroeste, en las montañas de Salta, Jujuy y Catamarca, desparramados en cientos de poblados y caseríos, los *collas* prefieren seguir viviendo en sus alturas con una vida que es la herencia de la tradición andina sudamericana.

Algunos investigadores mencionan tres grandes grupos en el Noroeste: los *diaguito-calchaquíes*, de ubicación y descripción estadística incierta, habitantes de Tucumán y Catamarca; los grupos de habla *aymara y quechua* en Jujuy, Salta y Santiago del Estero, vinculados con las comunidades andinas bolivianas, peruanas y ecuatorianas de la misma lengua; y los *collas*, de habla presumiblemente aymara, el grupo más numeroso y expandido.

Para el momento a que nos estamos refiriendo (principios del presente siglo) los collas es la denominación con que comienzan a conocerse a comunidades herederas de la forma de vida original de nuestro Noroeste, portadoras a su vez de la tradición andina que los tardíos inmigrantes quechuas y aymaras enriquecieron.

La aridez creciente de las tierras, la falta de incentivos y el estancamiento fueron provocando que estas comunidades pasaran de florecimientos repentinos (y ficticios) como la instalación de centros mineros a decaimientos pronunciados, generadores de despoblamiento, pobreza y marginalidad.

Sin embargo, allí siguieron con sus cabras, sus cultivos, sus difíciles regadíos, su coqueo permanente, sus viviendas tradicionales, su Pachamama, su música, sus "apachetas" (montículos para que los viajeros oren), sus "corpachadas" (dar de comer a la tierra), sus rituales comunitarios de cooperación y solidaridad (la "minga"), su carnaval, su fiesta de la tierra, su "tinkunakuy" (encuentro de compadres o grupos)... La cosmovisión originaria permaneció escondida, lo cual también fue una forma de resistencia.

RETROCESO FINAL DE LOS TEHUELCHES: LA AGONÍA

Desde la "araucanización de la Pampa", la cultura tehuelche estuvo en permanente retroceso. Las batallas perdidas a manos de los mapuches y la mestización los fueron diluyendo

Las pocas bandas que contribuyeron a la defensa del territorio indígena durante los años sangrientos fueron literalmente desmanteladas después de la "conquista del desierto".

Los altivos *catrieleros* del centro de la provincia de Buenos Aires fueron trasladados en 1903 al sur del río Colorado en la provincia de Río Negro y quedaron confinados en un territorio inhóspito. En 1911 el terreno de la Colonia fue rematado y los indígenas pasaron a ser mano de obra barata en los campos de la zona.

Los restos de la comunidad del cacique *Sayhueque*, poco más de doscientos individuos, fueron llevados muy lejos de su hábitat original, al Chubut (1899).

Los escasísimos tehuelches sobrevivientes fueron confinados junto con araucanos y con otros componentes étnicos, en una mezcla total de sangres que continuó el proceso de disolución cultural.

Las comunidades tehuelches se convirtieron en grupos humanos muy mezclados, donde se hablaban diferentes lenguas. Incluso el cacique Kankel hablaba te-

Indios tehuelches en Río Gallegos.
Tarjeta postal de época (col. J. A. Lanús).

huelche, araucano, castellano y galés; éste último adquirido por el contacto con la colonia galesa de valle del Chubut adonde las bandas pasaban los inviernos.

Al respecto es importante mencionar que mientras los últimos reductos tehuelches eran agredidos sin descanso por la sociedad nacional en expansión, ellos ayudaban a los nuevos pioneros que venían de más allá del océano. Al parecer, el cacique Juan Chiquichano y su gente fueron quienes hicieron posible la subsistencia de los inmigrantes galeses, cuyo primer núcleo se instaló en Puerto Madryn, Chubut, en julio de 1865. Antes de que los galeses murieran de hambre, los indios les enseñaron a montar, a enlazar, a bolear y los abastecieron de carne.

Atacados por enfermedades desconocidas para ellos, muertos de tristeza, de locura o por el alcohol, hambrientos y perseguidos, los últimos tehuelches terminaron su agonía encerrados en los minúsculos territorios que les fueron quedando.

Hoy son sólo un puñado: no llegan a los dos centenares.

Pero todavía se resisten a la extinción.

MAPUCHES: EL PEREGRINAJE DEL DESAMPARO

A los araucanos o mapuches no les fue mucho mejor. Pero contaron a su favor con un elemento que les permitió resistir mejor: el número. Eran muchos más que los tehuelches y su cultura había impregnado la llanura de Pampa y Patagonia.

El shock del despojo y el cerco de los terratenientes

Finalizada la autodenominada "conquista del desierto", los mapuches son literalmente desparramados, en un traslado forzoso en calidad de prisioneros a Buenos Aires, y de allá a distintos puntos del país desde donde nunca más volverían.

Los que pudieron regresar soportaron una doble crisis cultural: la de la tierra perdida y la del caos que crecía en ella. Los territorios estaban ocupados ahora por extraños personajes: militares, pioneros, gringos, sacerdotes, comerciantes y especuladores que disputaban el reparto de tierras y de hombres.

Las comunidades mapuches fueron reubicadas en tierras inhóspitas, aisladas con precariedad en los títulos de posesión.

El latifundio que se implanta a pasos agigantados es necesario para un Estado que consolida su dependencia con la potencia imperial de la época —Inglaterra— y su entorno europeo: se requieren carnes, granos y lanas entre otros productos. Las comunicaciones —ferrocarriles y telégrafo— fueron los imprescindibles acompañantes de este proceso y contribuyeron aún más a la transformación violenta del antiguo paisaje indígena.

Dioses y rogativas: la resistencia cultural

De a poco, los mapuches se reagruparon con gran energía alrededor de su religión y del reclamo por la tierra perdida.

En *che zunún* (idioma araucano) nombran a los dioses. El más grande es Nenechén, o Guenechén (dominador de la gente), un ser andrógino entre cuyos poderes se cuentan los de dar la vida y la fecundidad.

Pillañ es el dueño del rayo y los volcanes.

Gamakiatsëm, creador de las montañas y los animales, Gamákia, dueño del trueno, y Elëngásëm, diosa del mal, parecen ser de origen tehuelche, aunque incorporados a la cosmovisión araucana, igual que Ieskálau, el encargado de los animales.

En cambio es de origen araucano (y después pasó a los tehuelches) el mito del diluvio o inundación, según el cual en el pasado remoto la Tierra se inundó y murió toda la humanidad excepto un puñado de hombres que habían subido a lo alto de un cerro.

Relacionado con este mito está el de la pareja de serpientes, una encargada de hacer llover, y la otra de hacer emerger al cerro y mantener la cima a salvo, donde se refugian los hombres sobrevivientes.

Quizá la ceremonia que más identifique hoy a los mapuches y que desde un primer momento fue un motivo más para la aglutinación de la comunidad es el Nillatún o Kamarikún (conocido también como Nguillatún, Guillatún o Camaruco) que significa "rogativa". Es la fiesta por excelencia.

Su objetivo es pedir a Nguenechén el bien, y la fertilidad de la tierra, los hombres y los animales; la ceremonia se realiza una vez al año, por lo general hacia fines de febrero y principios de marzo, y dura tres días.

El cacique hace la convocatoria, dirigida a su comunidad y eventualmente a otros grupos y/o amigos. Los protagonistas principales son: los pihuinchenes o abanderados, adolescentes de trece o catorce años; las calfumallén o doncellas azules, vírgenes; los bailarines del loncomeo, en general dos grupos de cinco; la machi; los intérpretes (un hombre y dos mujeres) del kultrún, instrumento de percusión de carácter sagrado; cuatro mujeres que ruegan durante las evoluciones de los pihuinchenes y un anciano que es el portador del símbolo de la dinastía.

A través de la rogativa los mapuches encontraron un camino de resistencia cultural que esconde algo más que

Ceremonia de nguillatun. *Comunidad mapuche de Anecón Grande, Río Negro. Foto de Patrick Liotta, 1993 (detalle).*

un pedido por los campos, los cultivos, los animales. En secreto, están rogando por seguir siendo ellos mismos.

Ceferino y los salesianos

La llegada de los salesianos a la Argentina coincidió con la falta de misioneros en el sur, luego del paso de los jesuitas y la retirada definitiva de los lazaristas en 1879.

De modo que sacerdotes de esta orden marcharon hacia el sur acompañando al general Roca en la conquista de 1879. A su paso bautizaron a cuanto cacique y comunidad encontraban, y actuaron como intermediarios entre el ejército y las comunidades rebeldes.

La presencia de los salesianos entre los mapuches se fue haciendo cada vez más fuerte. En ese contexto nació Ceferino, el 26 de agosto de 1886 en Chimpay, Río Negro, lugar adonde había recalado su padre, don Manuel Namuncurá. Vivió allí hasta los diez años aprendiendo a montar, participando en los juegos de guerra de los niños mapuches, y conservando la lengua originaria, las tradiciones y los rituales.

En 1897 y a pedido del niño, el cacique Namuncurá lo llevó a Buenos Aires para estudiar; ingresó en el Colegio Pío IX de los salesianos.

Ceferino se hizo notar por su devoción y sus enormes deseos de aprender la historia religiosa y cumplir con los estudios necesarios para ser sacerdote. Era humilde y bondadoso, "el manso" Ceferino; a pesar de su vocación, también mostraba una profunda nostalgia por su tierra y por su padre. Al poco tiempo (1901) comenzaron los indicios de la tuberculosis.

Lo rodeaba un halo de misterio. Mucho se hablaba del "milagro de las aguas", cuando siendo muy pequeño (no caminaba aún) cayó en el río Negro ante la desesperación de sus padres que lo creyeron muerto. La correntada lo llevó lejos; sólo se vio por unos segundos una manito que asomó entre la furia del agua, y después nada más, hasta que un remolino tiró al indiecito sobre un banco de arena, vivo.

Una vez detectados los primeros síntomas de la enfermedad, los padres salesianos lo enviaron a Viedma adonde Ceferino, dado el avance de su tuberculosis, no pudo seguir sus estudios. De regreso en Buenos Aires decidieron llevarlo a Europa. Era el año 1904 y Ceferino tenía 18 años. En Roma visitó al Papa, ante quien fue presentado como el resultado de la obra salesiana en el lejano sur del mundo.

Ceferino murió el 11 de mayo de 1905.

Fue repatriado en 1924 y sus restos depositados en Fortín Mercedes, en la provincia de Buenos Aires.

El mártir indio se convirtió rápidamente en un ídolo popular, objeto de un culto de grandes proporciones, uno de los más importantes de América.

DESVENTURAS EN LA MESOPOTAMIA GUARANÍES Y CAINGANG

La población guaraní de la provincia de Misiones registra dos momentos principales: el primero, el de las *comunidades originarias*, que desaparecieron hacia fines del siglo XIX por las guerras nacionales e internacionales (especialmente la de la Triple Alianza) y por la migración hacia países limítrofes; el segundo, el de los grupos *mbyá* del Paraguay que repoblaron el territorio misionero a partir de 1870 aproximadamente.

A comienzos del siglo XX dos grupos indígenas ocupaban la provincia de Misiones: los mbyá, provenientes del Paraguay y conocidos también como cainguá, agricultores de origen guaraní; y los *caingang*, cazadores de origen Ge del Brasil.

Las aldeas mbyá mantenían el modelo agricultor, con productos tales como maíz, mandioca, tabaco, zapallo, porotos. Eran activos artesanos, especialmente de la cestería, que comenzaron a comercializar.

Pero las pautas tradicionales se fueron diluyendo. Poco a poco, sus hombres empezaron a trabajar como jornaleros rurales y forestales, como recolectores de frutos y hacheros en los obrajes y en las colonias extranjeras que comienzan a surgir en toda la provincia.

Ese puñado de guaraníes representa a los sobrevivientes de un proceso de expansión lingüística que se inició en las primeras ciudades fundadas en los siglos XVI y XVII, bajó desde Asunción, y fue impregnando a los territorios provinciales de Misiones, Corrientes y Entre Ríos: *el idioma guaraní*, hablado en la actualidad por cerca de un millón de argentinos.

En cuanto a los caingang, eran agricultores de maíz y zapallo, cazadores y recolectores de miel. Una matanza sufrida en 1840 los hizo aislarse en la impenetrable espesura misionera, prácticamente sin contacto alguno con la sociedad nacional durante 35 años, hasta que en 1875 se instalaron en la localidad de San Pedro, en Misiones.

Cultivaron algo de maíz y permanecieron en su condición de cazadores; fueron recolectores de vegetales y miel y también pescadores. En muchos aspectos estuvieron influenciados por la cultura guaraní y al parecer fueron guerreros temibles.

El avance de la sociedad nacional desbordó a los últimos caingang, especialmente por las epidemias de tuberculosis, viruela y sífilis. Los pocos sobrevivientes migraron hacia su tierra natal, en el Brasil. Hoy los caingang ya no existen en la Argentina.

Indios y blancos en la Argentina del siglo XX

A mediados del siglo XX, ya no existían comunidades indígenas libres, si entendemos por ellas a grupos humanos asentados sobre territorios propios, con sus formas de vida tradicionales y sus propias autoridades. Las pocas comunidades que quedaban, mantenían su cultura a duras penas, rodeadas definitivamente por la sociedad nacional, y vinculadas a ésta por múltiples mecanismos como la economía, la educación, las instituciones oficiales, la religión.

Mantenían su cultura, pero no en forma libre. Ya no eran comunidades que decidieran por sí, sino que dependían de la sociedad nacional que las había confinado. Por eso a esta altura de la historia india, sólo existían dos tipos de culturas: las sometidas (chiriguanos, mbyá, mapuches, tehuelches, tobas, mocovíes, pilagá, matacos, chorotes, chulupíes y collas) y las extinguidas (que para entonces sumaban doce, es decir siete más que en el 1900).

Entre las primeras, los tehuelches estaban en vías de extinción, mientras que los pilagás, chorotes y chulupíes eran muy pocos

Cabecitas negras, inmigrantes y hermanos latinoamericanos

La Argentina había confinado a los hijos de la tierra, a los que antes fueron sus señores. Pero no pudo detener un proceso histórico que tuvo importancia sobre su perfil cultural. Hacia mediados del siglo XX, nuestro país no era el "país blanco" soñado por algunos. Si bien la enorme cantidad de inmigrantes europeos les hizo creer a algunos que la Argentina había perdido su identidad originaria, no fue así: el encuentro entre la pobla-

Padre e hija guaraníes. Comunidad de Lorenzo Ramos, Misiones. Foto de Patrick Liotta, 1993.

ción original hispano-indígena y los inmigrantes, después de una separación inicial, produjo una fusión.

Pero además, la Argentina no es exclusivamente "blanca", porque también hay que considerar a los descendientes de los indígenas. Fueron los "cabecitas negras", que hacia la década de 1940 empezaron a "bajar" desde el interior hacia las grandes ciudades, especialmente Buenos Aires, mostrando la otra cara del país. Muy pronto, el mote despectivo de "cabecita negra", creado por los sectores dominantes de nuestra sociedad y clara muestra del racismo argentino, se transformó en una bandera de lucha de las mayorías populares postergadas.

Los "cabecitas" trajeron su forma de vida, y las ciudades ya no fueron las mismas. Los espacios antes reservados a las minorías "blancas"comenzaron a ser penetrados por una masa humana que hasta ese entonces había permanecido oculta, esperando su momento. Y ahora estaban aquí.

A esos dos grandes componentes en la conformación del perfil cultural de la Argentina, debe sumarse en los últimos años el aporte de la inmigración latinoamericana, que fortificó la presencia de la matriz hispano-indígena o indígena: paraguayos, bolivianos, chilenos, brasileños y últimamente peruanos y uruguayos contribuyen a engrosar la población de la Argentina. Bolitas, Chilotes, Cabezas chatas, Paraguas, ya pertenecen a nuestra cotidianeidad.

CAPÍTULO VII

EL ESTADO Y LAS POLÍTICAS HACIA EL INDÍGENA

La Constitución Nacional de 1853 —vigente hasta 1994—, es quizás la primera referencia de importancia en las políticas del Estado hacia los indígenas. En el Capítulo IV del título primero de la Segunda Parte, artículo 67, inciso 15, establecía que corresponde al Congreso "Proveer a la seguridad de las fronteras; conservar el trato pacífico con los indios y promover la conversión de ellos al catolicismo".

En esta cláusula está sintetizada toda una política: primero, la mención de las fronteras interiores, separando dos mundos, el nuestro y el de los otros; segundo, el espíritu paternalista al hablar de "trato pacífico"; y tercero, la conversión de los indígenas al catolicismo, sin contemplar el respeto por su cultura o ideas religiosas propias.

Existía el antecedente de la Constitución de 1819, correspondiente a las entonces Provincias Unidas de Sudamérica; en ella se declaraba "a los indios de todas las Provincias por hombres perfectamente libres en igualdad de derechos a todos los ciudadanos que las pueblan". Pero la Constitución de 1853 reflejó más acabadamente la realidad de la época.

Los coletazos de la Constitución de 1853

Las leyes de tierras y colonización

Hacia fines del siglo XIX y hasta bien entrado el siglo XX, los sucesivos gobiernos aplican "políticas de colonización" que incluyen el emplazamiento de algunas comunidades en tierras fiscales especialmente adjudicadas.

La ideología racista era notable: en los debates parlamentarios era común escuchar que los indígenas habían intentado "destruir la nacionalidad argentina". En un caso se propuso un régimen virtualmente carcelario para las comunidades, que deberían quedar bajo las órdenes de "una policía establecida por el gobierno", y cuando se discutió el status de los indios, hubo tres posiciones: 1) la que los consideraba "ciudadanos por haber nacido en el territorio de la República"; 2) la que los entendía como "ciudadanos de segunda categoría con sus derechos restringidos"; 3) la que los consideraba "argentinos rebeldes", contrarios a la civilización.

Un proyecto de ley consideraba "provechoso conservar estos indios en la frontera, en contacto con las tropas y sometidos a un régimen militar, lo que les permitirá ir perdiendo gradualmente sus costumbres y sus hábitos de tribu".

Por la ley 1.532/84 se dispuso que cada gobernador procurase que las tribus indígenas en su territorio fueran "traídos gradualmente a la vida civilizada". Los distintos gobiernos propusieron proyectos para la colonización de tierras, siempre con la idea de acercar cuanto antes a los indios a los "beneficios de la civilización".

La ley 4.167/1903, referida al régimen de tierras fiscales, señalaba que "el Poder Ejecutivo fomentará la reducción de las tribus indígenas, procurando su establecimiento por medio de misiones y suministrándoles tierras y elementos de trabajo".

El proyecto Bialet Massé (1904)

Considerado como uno de los más importantes precursores del Derecho Laboral en la Argentina, es convocado por el gobierno para un relevamiento de los trabajadores del interior del país.

Durante tres meses Bialet Massé recorrió los más recónditos lugares del mapa argentino, acopiando valiosa información, cuyo resultado fue el "Informe sobre el estado de las clases obreras argentinas". En ese informe por primera vez se describe en detalle la situación de los matacos, tobas, mocovíes y chiriguanos del Territorio del Chaco, formulando recomendaciones.

Dirección General de Territorios Nacionales (1912): reducción, protección e instrucción.

El naciente Estado argentino comenzó a incorporar en su estructura a organismos responsables de la cuestión indígena. Entre 1912 y 1980 se crearon por lo menos veintiún organismos especializados en distintas áreas del Estado. El punto inicial podemos fijarlo el 24 de julio de 1912, cuando se estableció por decreto que a partir de entonces "quedará a cargo de la Dirección General de Territorios Nacionales, el trato con los indios, la superintendencia de las misiones y reducciones establecidas". Se proponía en el decreto la fundación de un Patronato de Indios, encargado de aplicar las leyes de "reducción, protección e instrucción de los indios". "Reducción" significaba confinamiento y segregación. "Protección" implicaba que los indígenas no estaban en condiciones de actuar por sí mismos. Y con la "Instrucción" se pretendía apartarlos de sus culturas ancestrales.

Comisión Honoraria de Reducciones de Indios (1916)

El gobierno de Victorino de la Plaza creó esta Comisión para "centralizar en un solo organismo todos los asuntos relacionados con la reducción, protección y civilización de los indígenas".

Como en otros casos, el proyecto —rubricado como decreto por el presidente Alvear en 1927— procuraba la defensa y protección de los indígenas, pero su concepción seguía siendo negativa: se calificaba de "mansos" a los indígenas que en realidad se habían sometido; se forzaba la introducción de la economía capitalista; se mantenía la intención de "internar" a los nómades; se prohibía el alcohol.

El proyecto Yrigoyen (1921)

El gobierno de Hipólito Yrigoyen (1916-1922) irrumpió en la vida nacional con una política novedosa, dirigida a los sectores sociales tradicionalmente marginados y desprotegidos.

En este contexto, los indígenas fueron objeto de tratamiento especial a través de distintas medidas, como el fomento de la explotación de sus textiles, "confiando en la posibilidad de alcanzar un resultado satisfactorio con un producto nacional que reemplace al artículo extranjero", o bien consignando que *la reparación cultural* era el objetivo primordial del Poder Ejecutivo hacia los indígenas. Pero el gesto más positivo hacia los indígenas fue el proyecto de Código de Trabajo que presentó Yrigoyen al Congreso en 1921. Entre otras medidas proponía que no hubiera "ninguna diferencia entre los trabajos del indio y los restantes obreros", gozando los indígenas de todos los derechos que el Código aseguraba a los trabajadores.

El proyecto no prosperó. Las posiciones antiindígenas avanzaron y se hicieron fuertes nuevamente.

Vuelve la ideología reduccionista: la Comisión Nacional de Protección al Indígena y el régimen de colonias (1939)

Como su nombre lo indica, esta Comisión fue un proyecto que preveía la defensa de las comunidades autóctonas, pero manteniéndolas apartadas del conjunto de la sociedad y con una severa vigilancia por parte del Estado. Lamentablemente, continuaba la política de violencia hacia los indígenas, al extremo de contemplar en casos excepcionales y por razones "de bien público" el traslado de las familias indias a la colonia más cercana.

El discurso de presentación del proyecto a cargo del diputado Montagna en la sesión del 2 de junio de 1939 hacía un resumen de los antecedentes en la materia y sintetizaba la situación de desamparo y explotación, abogando por la reparación y protección del Estado en forma paternalista.

En su exposición, el diputado Montagna se refirió al caso de algunas colonias. A principios de siglo se habían organizado desde el Estado las colonias indígenas; la Comisión Honoraria de Reducciones de Indios de 1916 había instalado dos: la de Napalpí, en el Chaco, y la de Bartolomé de las Casas, en Formosa.

Con las colonias se intentaba transformar a comunidades de origen cazador-recolector, y guerreras, en sedentarios y pacíficos agricultores; al introducir nuevas prácticas educativas y laborales las colonias se convertían en verdaderos "experimentos de cambio de cultura".

Probablemente algunos políticos y funcionarios hayan tenido propósitos sinceros de integrar a las comunidades a la vida nacional, pero la ideología dominante los hizo fracasar.

Consejo Agrario Nacional (1940)

Por ley 12.636 de 1940 se creó el Consejo Agrario Nacional, entre cuyos objetivos se contaba el de entregar tierras en propiedad a los "Indígenas del país", y establecer "el régimen de explotación de las mismas, teniendo en cuenta además sus costumbres y métodos de trabajo".

En esta idea de respetar las formas de vida originales de las comunidades indígenas, el Consejo marcó un avance; pero al lado de estas buenas intenciones persistían las tendencias paternalistas, al proponer la paulatina incorporación de los indios a "la vida civilizada", para lo cuál "deberá impartirse la instrucción elemental y la enseñanza de la religión católica".

El Consejo trabajó eficazmente en dotar de documentos de identidad a los indios (aunque no resolvió por completo el tema, que sigue siendo un problema en nuestros días), y publicó en 1945 un informe excepcional para su época: "El problema indígena en la Argentina"; en él se pasa revista a los antecedentes legales, históricos y extranjeros, y se describe la situación contemporánea de las comunidades.

La década justicialista: Un intento de participación popular (1946-1955)

El ascenso de las masas en la Argentina, que culminó con el estallido popular del 17 de octubre de 1945, transformó la política del país. Los sectores sociales más bajos comenzaron a tener cada vez más poder, nucleados alrededor de una ideología en formación: el justicialismo.

Perón impulsó un programa de cambio social sustentado en el apoyo masivo de las capas populares. El gobierno radical de Yrigoyen había conseguido atraer al sector obrero de origen inmigrante; el peronismo amplió su base social logrando el apoyo de un nuevo protagonista, hasta entonces relegado: el descendiente de la matriz hispano-indígena originaria, el hombre humilde del "interior" del país: el "cabecita negra".

Las comunidades indígenas no quedaron ajenas a este proceso, ya que fueron objeto de medidas novedosas por parte del Estado y en muchos momentos actuaron como protagonistas.

La Constitución de 1949

Aprobada por la Convención Nacional Constituyente el 11 de mayo de 1949, la nueva Constitución transformó el tradicional inciso 15 del art. 67 eliminando toda alusión a los indígenas y dejando solamente "Proveer a la seguridad de las fronteras".

El anteproyecto de reforma de la Constitución justificaba el cambio: "la modificación de este artículo consiste en eliminar la alusión al trato pacífico con los indios y su conversión al catolicismo, aspecto que hoy resulta anacrónico, por cuanto no se pueden establecer distinciones raciales, ni de ninguna clase, entre los habitantes del país".

El paso dado era importante: a partir de ese momento el indígena era jurídicamente un ciudadano más, igual ante la ley. El peligro era que esto llevara a la anulación de su cultura propia. Creemos que no fue éste el caso; más bien hubo un intento por recuperar y revalorizar las formas de vida indígena a través de distintos proyectos que pasamos a describir.

La reglamentación del trabajo indígena (ley 13.560)

Desde 1938 se venía gestionando en el Parlamento la aprobación de un proyecto de ley por el cual se aprobaban varios convenios adoptados por la Conferencia Internacional del Trabajo, entre ellos el Nº 50, de 1936, relativo al "reclutamiento" de trabajadores indígenas.

Sin embargo fue necesario esperar más de diez años para que esa ley, la 13.560, fuera promulgada. Contiene referencias a las características de cada comunidad y al proceso de incorporación a las diversas actividades laborales, y por encima de paternalismos evidentes, es un avance en la defensa de los derechos indígenas.

Las Colonias Granjas y los Planes Quinquenales

La ley 14.254/53 dispone la creación de nueve Colonias Granjas "de adaptación y educación de la población aborigen en las provincias de Salta, Jujuy, Presidente Perón y territorios de Formosa y Neuquén". En el debate del proyecto de ley se puso de manifiesto que "el pueblo argentino espera resultados positivos en el sentido de que al aborigen se le considere y se le restituyan todos los derechos sociales de los cuales se los había privado injustamente".

También se hizo referencia a los problemas de la tenencia de la tierra.

En el Plan Quinquenal (1947-1951) hay algunas referencias a los indígenas, en el capítulo titulado "Cultura". En él se habla de la cultura adquirida por el pueblo argentino, que se nutre entre otras vertientes de los "elementos autóctonos".

Más adelante se señalaba que las "denominadas lenguas autóctonas serán debidamente estudiadas, no sólo como reliquias de un pasado idiomático cuya influencia aún perdura, sino también como elemento vivo y de convivencia en las zonas originarias".

Prevé también la implementación de un programa de colonización por el cual el indígena llegará a ser dueño de su tierra.

El Segundo Plan Quinquenal (1953-1957), establece que "la población indígena será protegida por la acción directa del Estado mediante la incorporación progresiva de la misma al ritmo y nivel de vida general de la Nación".

La Dirección de Protección al Aborigen (1946) y la Comisión de Rehabilitación (1953): la expropiación de tierras

La necesidad de "protección" es una idea repetida en muchos de los proyectos de esta época. En 1946 se creó la Dirección de Protección al Aborigen en el ámbito de la Secretaría de Trabajo y Previsión para reemplazar a la Comisión Honoraria de Reducciones de Indios. Se encargaba de la adquisición del ganado y herramientas destinadas a las distintas Colonias existentes en el país. Por su parte, la Comisión de Rehabilitación de los Aborígenes, creada en 1953, tuvo a su cargo la recuperación de las poblaciones en tierras expropiadas de la provincia de Jujuy.

Como muchas veces hemos señalado, el tema de la tierra es clave en el drama histórico de las comunidades indígenas. Producido el despojo por las conquistas de Pampa, Patagonia y Chaco, los sucesivos gobiernos nacionales devolvieron tierras a los indios, pero de muy poca extensión y generalmente las peores de la región. Más que como devolución se lo entendía como una limosna; y además, se hacía condición indispensable de esta entrega la incorporación del indígena a la vida civilizada.

La cesión de tierras se hacía generalmente con propiedades fiscales y sin molestar a los nuevos dueños: los terratenientes. En el fondo, se trataba de silenciar los reclamos de las comunidades con entregas aisladas de parcelas, siempre a título precario y no definitivo como pedían los indios. Pero durante el primer gobierno peronista se inició un proceso nuevo y de gran significación social: la expropiación de tierras para adjudicárselas a los aborígenes.

Por decreto 18.341 de 1949 se declararon de utilidad pública y sujetas a expropiación las tierras de la provincia de Jujuy, ubicadas en los departamentos de Tumbaya, Tilcara, Valle Grande, Humahuaca, Cochinoca, Rinconada, Santa Catalina y Yavi.

Por ulteriores decretos, las comunidades beneficiadas fueron liberadas del pago de los cánones, con el objeto de permitir su paulatina consolidación.

El "Malón de la Paz"

En 1946, un grupo de collas provenientes del Noroeste llegaron hasta Buenos Aires en una marcha que fue bautizada el "malón de la paz".

La embajada indígena —cuyo mandato era reclamar por sus tierras usurpadas— fue alojada en el viejo Hotel de Inmigrantes y luego de protagonizar un confuso episodio, fue enviada de regreso a sus lugares de origen.

El incidente dio lugar a la intervención del Parlamento, a través de los proyectos de pedidos de informes al Ejecutivo.

GOLPE DEL 55: GOLPE A LAS POLÍTICAS PARA LOS INDÍGENAS

El golpe de Estado de septiembre de 1955 interrumpió las distintas políticas para los indígenas que había impulsado el gobierno peronista. Se suprimió la Dirección de Protección al Aborigen y sus bienes pasaron a depender de las provincias en donde antes desarrollaba su acción: Chaco, La Pampa, Misiones, Formosa, Neuquén y Río Negro. La disolución de este organismo, que centralizaba la cuestión indígena, indicó que el Estado buscaba desentenderse del problema.

Durante este período hubo intentos aislados de modificar situaciones de marginación y sometimiento. Sobre el final del régimen de facto, la provincia del Chaco sancionó en 1957 su Constitución, disponiendo que "la Provincia protegerá al aborigen por medio de una legislación adecuada que conduzca a su integración en la vida nacional y provincial, a su radicación a la tierra, a su elevación económica, a su educación y a crear la conciencia de sus derechos, deberes, dignidad y posibilidades emergentes de su condición de ciudadano. Quedan suprimidos los sistemas de misiones, reducciones u otros que entrañen su diferenciación y aislamiento social".

Ese mismo año y como demostración de que la conciencia en cuanto a la necesidad de tratar con justicia a los indígenas iba creciendo en distintos sectores de la sociedad, se volvió a insistir en la supresión del art. 67 inciso 15 de la Constitución de 1853. Esta vez, la solicitud se formuló desde la Convención Nacional Constituyente.

La Dirección Nacional de Asuntos Indígenas (1958)

Esta Dirección se creó con el propósito de que el tema indígena ocupe nuevamente la importancia que merecía en la estructura del Estado y en la atención del público. Un objetivo era la defensa de las industrias regionales indígenas, no sólo como fuentes de trabajo sino también como obra de recuperación cultural. Se mencionaba la existencia de grupos indígenas “no integrados o semiintegrados” a la sociedad nacional, cuya situación les impedía “gozar de los derechos y beneficios de que disfrutan los restantes sectores de la población”.

Las funciones del organismo eran, entre otras: asegurar a los aborígenes educación y capacitación técnica; orientar la actividad de los más adaptados, posibilitando su arraigo definitivo a la tierra y su adiestramiento en los métodos modernos de trabajo; fomentar el ahorro y el cooperativismo, como asimismo desarrollar las artes y manufacturas autóctonas; proteger las personas y los bienes del aborigen, asistirlo jurídicamente y asesorarlo en sus derechos y obligaciones, especialmente respecto de los problemas de trabajo.

Se establecía también que en ningún caso “los instrumentos, planes y organismos que se utilicen (...) podrán menoscabar los derechos y garantías de la persona humana”.

LA INFLUENCIA DE LA CONFERENCIA INTERNACIONAL DEL TRABAJO (1959)

El Parlamento aprobó en 1959 nuevos convenios adoptados por la Conferencia Internacional del Trabajo. El Nº 107 hacía referencia a la “protección e integración de las poblaciones indígenas tribuales y semitribuales en los países independientes” y contemplaba títulos tales como tierras; contratación y condiciones de empleo; formación profesional; artesanía e industrias rurales; seguridad social y sanidad; educación y medios de información y administración.

El Convenio estipula que en la aplicación de sus disposiciones se deberá “tomar en consideración los valores culturales y religiosos y las formas de control social propias de dichas poblaciones” así como también "tener presente el peligro que puede resultar del quebrantamiento de los valores y de las instituciones" de las comunidades afectadas.

En cuanto al régimen de tenencia y propiedad de las tierras, el convenio recomienda "reconocer el derecho de propiedad, colectivo e individual a favor de los miembros de las poblaciones sobre las tierras tradicionalmente ocupadas por ellos".

El primer relevamiento a nivel nacional (1965/68)

Con la llegada de Arturo Illia a la presidencia en 1963, se puso en marcha un proyecto sin precedentes: el Censo Indígena, que intentaba saber con la mayor precisión posible la cantidad de indígenas que había realmente en el país, al mismo tiempo que buscaba indagar en profundidad los distintos aspectos de sus formas de vida.

Nunca antes en la Argentina se había intentado un proyecto semejante. El decreto de realización del Censo fue acompañado de un documento que resumía la posición oficial sobre el tema. Ese documento se llamó:

"Bases para una política indigenista"

En él se planteaba que "existen grupos indígenas sin plena integración en la comunidad nacional, y esto debe lograrse mediante una acción constante —realizada por el Estado y por la sociedad— que tiende a incorporar al indio al proceso colectivo de civilización y cultura, respetando su personalidad de manera que sea él mismo artífice principal de su mejoramiento".

Se consideraba necesaria además una reforma agraria que permitiera a las familias indígenas llegar a la propiedad de la tierra.

En medio de estos anhelos se deslizaban, una vez más, las ideas paternalistas: "y también, señores, cuidar su formación moral, encauzando su sentido natural de religiosidad, combatiendo la promiscuidad y la embriaguez". Sin embargo, la intención de esta política era buena. Lo más positivo era el propósito de conocer, como primer paso, una realidad de la que se sabía poco.

La segunda parte del documento transcribe el decreto 3.998 del 27/5/1965 que disponía la realización del Censo. El decreto incorporaba elementos novedosos: definía al individuo indígena; determinaba las distintas regiones ocupadas por las comunidades en estudio; estipulaba los distintos datos que serían tenidos en cuenta para el relevamiento; y, finalmente, recomendaba el modo de llevar a cabo la tarea, especificando la responsabilidad de las distintas áreas del gobierno.

Censo Indígena Nacional (1968)

El Censo entiende por Indígenas, a aquellos individuos que reúnen los siguientes atributos:

- que económicamente estén en un nivel de subsistencia;
- que convivan en comunidad o grupo;
- que mantengan elementos de la cultura prehispánica, especialmente la lengua y si ella no se habla que se identifiquen otros elementos, como festividades, vestimenta, artesanías;
- que expresen una conciencia de pertenencia a un grupo étnico o de lo contrario que sea notoria su descendencia de éstos;
- que su hábitat actual se encuentre en la misma zona o muy próxima a la del hábitat prehispánico.

En otro lugar pasaje se define como *Indígenas* a todos aquellos "individuos que manifiestan en su conducta individual o grupal predominancia de elementos de la cultura precolombina y que expresan al mismo tiempo una conciencia de pertenencia actual o histórica a alguno de los grupos étnicos prehispánicos que habitan la zona".

La población indígena censada

El Censo consignó un total de *525 agrupaciones y 75.675 individuos*, correspondientes a 13.738 hogares en Buenos Aires, Chubut, La Pampa, Neuquén, Río Negro, Santa Cruz y Tierra del Fuego, Chaco, Formosa, Norte de Santa Fe, sector oriental de Salta y zona del ramal de Jujuy.

Pero el trabajo no se completó, dado que la región Noroeste (Jujuy, sector central y occidental de Salta y norte de Catamarca) no fue censada; también quedaron afuera algunas agrupaciones en Formosa y en Salta.

El Censo estimó en aproximadamente *89.706 individuos la cifra de población no censada,* con lo cual el *total de indígenas calculado ascendía a 165.381*. Para ese entonces (diciembre de 1966) la Argentina tenía poco más de 22.800.000 habitantes.

El intenso trabajo de años fue interrumpido el 30 de junio de 1968 al no concedérsele una prórroga para su finalización. El nuevo gobierno de facto —Onganía, 1966— que había heredado el proyecto del gobierno constitucional anterior fue fiel a la tradición argentina de no continuar las obras de su predecesor y canceló el Censo para siempre.

Una transición languideciente (1966-1973)

Entre 1966 y 1973, los sucesivos gobiernos militares (Onganía, Levingston, Lanusse) se limitaron a administrar la precaria situación integral de las comunidades indígenas, a través de "Programas integrados de Desarrollo Comunitario Aborigen" llevados a cabo por la Secretaría de Estado de Promoción y Asistencia Social.

La política de aquel entonces estaba basada en el concepto de "seguridad", antecedente inmediato a la ulterior y terrible "doctrina de la seguridad nacional" aplicada entre 1976 y 1983.

En este tipo de políticas, los indios fueron objeto de manipulación, ya que pertenecían a agrupaciones humanas que estaban ubicadas en las áreas de frontera, a las cuales había que resguardar desde el punto de vista de la "seguridad interior". Las comunidades indias pasaban a ser algo así como un "mal necesario", por el sólo hecho de estar allí, en esas zonas vitales para el interés nacional, debían ser objeto de alguna política pero siempre dentro de los marcos enunciados.

Tercer gobierno justicialista (1973-1976). Plan Trienal, reparación histórica y convulsión

La llegada al poder, en marzo de 1973, de un nuevo gobierno justicialista tuvo lugar en un marco de movilización social y de virtuales insurrecciones urbanas que habían comenzado con el "Cordobazo" (1969). Los distintos sectores sociales empezaron a hacer oír sus reivindicaciones y también a organizarse; las comunidades indígenas se hicieron más presentes; las crónicas periodísticas abundan en información sobre ellas, y fue por aquellos días que se realizó el Segundo Parlamento Indígena Nacional "Eva Perón" con la presencia de 71 delegados de más de 8 grupos étnicos.

Por primera vez, hubo indígenas en cargos de gobierno o en las Legislaturas. El Plan Trienal para la Reconstrucción Nacional incluyó a las comunidades indígenas dentro de los planes de colonización, para los cuales se preveía la entrega de predios a familias indígenas a título gratuito como reparación histórica.

Lamentablemente, desde mediados de 1974 la violencia social y la inestabilidad política alteraron estos intentos, que habían apoyado vastos sectores populares. Y el golpe de 1976 les puso un fin definitivo.

EL PROCESO DE REORGANIZACIÓN NACIONAL (1976-1983)

En marzo de 1976 la comunidad guaraní de San José de Yacuy, en el corazón del Chaco salteño transitaba un interesante proceso de organización interna, basado en un sistema de gobierno participativo, con toma de decisiones en forma democrática, e integrando los factores de poder tradicionales tales como el Consejero (el anciano) y los Ypayé (los chamanes benefactores). La economía comunitaria prosperaba con la ampliación de los cercos de cultivo. Cada vez más familias podían educar a sus hijos. El tiempo libre daba lugar a las fiestas tradicionales (el sagrado carnaval), los viajes de intercambio a la vecina Tartagal, o simplemente, el ocio.

Por aquellos días nos hablaban de cómo veían la posibilidad de insertarse en el país al que sentían propio. Nos hablaban también de su ancestral lucha por la propiedad de la tierra.

Habían hecho mucho con gran sacrificio y trabajo; habían levantado un pueblo que era un ejemplo.

Pero una tarde, sin que nadie llamara, llegaron

ellos, con la misión de "poner orden", como en cada rincón de la Argentina.

Eran dos o tres oficiales del Ejército. Uno de ellos se autotituló "interventor de los indígenas" y anunció que venía con mandato de inspeccionar y vigilar al pueblo.

La gente contempló a los intrusos de uniforme y sintiéndose indefensa volvió los ojos hacia su jefe. El les devolvió el silencio en la mirada.

A los pocos días los oficiales volvieron esta vez más prepotentes y decididos a revisar la aldea. Pero el pueblo había cavilado y enfrentó al "interventor":

—Ustedes tienen armas, nosotros no las tenemos —dijo el jefe avanzando hacia el delegado militar—, pero nosotros tenemos algo peor que las armas: tenemos nuestro poder y yo le juro que si usted toca algo del pueblo, lo dejaremos ciego. Esto pasará, usted se va a volver ciego.

Los oficiales retrocedieron sobre sus pasos y nunca más regresaron a la comunidad.

El pueblo resistió. Se había defendido con el recurso milenario de la técnica chamánica. La sabiduría india se había puesto en acción para contrarrestar los embates de los dictadores.

Sin embargo, ya nada sería igual. A partir del golpe de Estado de 1976 las comunidades indígenas ingresaron en un nuevo cono de sombra. Más aisladas que nunca, rodeadas por el continuo despliegue militar en sus mínimos territorios, virtualmente maniatadas, vieron extremarse su miseria.

En una de nuestras provincias se llegó a negar la existencia de los indígenas por decreto, lo que da la pauta de los verdaderos alcances de los siniestros objetivos del poder militar de turno.

CAPÍTULO VIII

VIVEN LOS INDIOS

Convivir con la violencia, volver a la democracia

El interregno democrático de 1973-1976 constituyó la antesala de un nuevo elemento en la cultura argentina: la violencia, que aunque no era desconocida nunca antes había alcanzado el grado de virulencia a que llegó entonces.

Esta triste realidad fue exacerbada por el golpe de Estado que se instauró en el poder desde marzo de 1976 y hasta octubre de 1983, el período más negro de nuestra historia: la dictadura militar que provocó —entre otros desastres— un genocidio con miles de desaparecidos, creando una figura legal inédita en el mundo y produciendo un vacío generacional del cual aún no se tiene clara conciencia.

El retorno a la democracia en 1983 operó como un hito de contención del flujo y reflujo de medio siglo de golpes de Estado y como bálsamo contra la violencia generalizada, además de abrir nuevas perspectivas a toda la sociedad y por supuesto a los indios.

Sin embargo, la Argentina tiene ante sí un camino muy largo aún: las actitudes discriminatorias; el racismo encubierto; la desigualdad y la pobreza crónicas; la mortalidad infantil y el analfabetismo son realidades que no se pueden ocultar y que todavía agobian a nuestras comunidades indígenas. Los avances que se registran no son suficientes. Los indios siguen luchando hoy como hace siglos por un lugar en esta sociedad que en cierta medida continúa ignorándolos. Y siguen luchando también por ser protagonistas —sin intermediarios— de su propio camino.

LAS CULTURAS INDÍGENAS EN NUESTROS DÍAS

¿Cuántos son los indios hoy en la Argentina?

De los 23 grupos étnicos originarios, se extinguieron una docena. Aun así, los que hoy sobreviven (incluyendo a las comunidades collas) constituyen un número relativamente importante.

El último censo oficial llevado a cabo en 1967 contabilizaba un total aproximado de 150.000 indios; pero las organizaciones indígenas nucleadas en torno a la AIRA (Asociación Indígena de la República Argentina) estimaron esa población en cierto momento en un millón y medio (Slavsky, 1985); organismos privados como el Equipo de Pastoral Aborigen (ENDEPA) determinaron un total de 418.000 para la misma fecha. Otros estudios sugieren 342.000 (Hernández, 1985) o 398.000 (Mayer y Masferrer, 1978).

En un trabajo de Osvaldo Cloux, presentado en el X Congreso Indigenista Interamericano, realizado en San Martín de los Andes en 1989, se estima la población indígena en un número que no sobrepasaría los 200.000.

Uno de los problemas para precisar cuantos son los indígenas está en el hecho de que no todos viven en comunidades. En general, los censos y estudios se refieren a los indígenas que viven en comunidades, pero excluyen a los miles de pobladores indios que desde hace muchos años emigran de sus lugares natales y "bajan" a vivir en los suburbios de las grandes ciudades, integrándose por lo general a las villas de emergencia o barrios carecientes.

Ser indio

En los últimos tiempos, el acento se coloca en *la conciencia de pertenencia a grupo y/o comunidad determinada*, con lo cual la definición de indio se amplía, acercándose más a la dinámica y compleja realidad de nuestros días.

Como un ejemplo podemos tomar a ley 2436 (1987) de la provincia de Misiones, la que establece que "se considerará indio guaraní a todo aquel individuo que, independientemente de su lugar de residencia habitual, se defina como tal y sea reconocido por la familia, asentamiento o comunidad a que pertenezca en virtud de los mecanismos que el pueblo guaraní instrumenta para su admisión".

CUADRO DE SITUACIÓN DE LAS COMUNIDADES

Collas: los habitantes de las montañas

Las culturas originarias de la región de la Montaña ya no existen —a excepción de los enclaves diaguito-calchaquí—; han sido reemplazadas por la etnia colla. Los collas, que no son menos de 50.000, viven en la Puna de Salta, Catamarca y Jujuy, en pueblos que envejecen pues los jóvenes emigran hacia las ciudades en busca de trabajo, y son la mano de obra barata en los ingenios, minas y tabacales. También emigran para realizar distintas tareas estacionales como la zafra.

Las comunidades collas son casi autosuficientes: producen lo que consumen y consumen lo que producen; la familia sigue siendo la unidad productiva. Más allá del grupo familiar nuclear, los collas se organizan en "una vasta red de parentesco, compadrazgo y otras formas no institucionalizadas de relaciones".
Las actividades de intercambio incluyen el sistema de *trueque*, y contribuyen al fortalecimiento del tejido social, sustentadas en las fiestas y los rituales (culto a la Pachamama, ceremonias del catolicismo popular).

Son pastores de ovejas, cabras, llamas, burros, mulares y equinos según las zonas. Ovejas y cabras constituyen la fuente principal de alimento, y la carne se consume fresca o desecada (la chalona). De las ovejas y las llamas extraen la lana para la elaboración de sus vestimentas. La tejeduría continúa vigente y muchos de sus productos son comercializados.

Practican algo de agricultura, en terrenos cada vez más secos. Se cultivan guisantes, alfalfa, papa y maíz y en ciertos lugares se utilizan sistemas de regadío. En general, no son propietarios de las tierras sobre las que se asientan; sin embargo, el uso a través del tiempo ha hecho que las consideren como propias.

En las últimas décadas, la "llegada" del Estado a través de sus distintas instituciones (el correo, la escuela, el destacamento policial o de gendarmería, la oficina municipal, el ferrocarril) comenzó a vincular a estas comunidades con la sociedad regional y nacional.

Pero esa vinculación es conflictiva. En el caso de la escuela se hace sentir la resistencia de los padres, con el argumento de que los niños son imprescindibles para las tareas cotidianas del grupo familiar (cuidado de las majadas, por ejemplo); en la mayoría de los casos esa resistencia es finalmente vencida, con lo cual la escuela pasa a convertirse en un nuevo núcleo de socialización para los niños collas. En el caso de las fuerzas de seguridad, también la relación es ambivalente: "los collas

Manifestación colla ante el Congreso Nacional.
Buenos Aires, 1997. Fotos de Oscar Elías.

nos llevamos muy bien con los gendarmes, muchas veces nos acercan al doctor; pero ¿quién va a impedir que saquen la pistola, le hagan un tiro a un cabrito o a un corderito y se lo lleven?"

La concepción del mundo muestra la combinación de aportes prehispánicos con los católicos, creando una religiosidad nueva, en la que se mezclan la Pachamama, la Virgen María, el dios Coquena protector de los animales de caza, la medicina tradicional, la Salamanca.

La presencia de los antiguos

Pero la concepción del mundo no se agota en lo festivo. La idea del tiempo y el espacio, los secretos, los mitos de origen de la comunidad están presentes con gran fuerza. Para muchas culturas el tiempo está basado en la tradicionalmente denominada "doctrina de las edades". De acuerdo con élla la Tierra y/o los hombres fueron sucesivamente creados, destruidos y vueltos a crear.

En medio del silencio y el vacío, testimonios recogidos por nosotros en Santa Rosa de Tastil (a unos cien km de Salta), nos confirman que las ruinas del pueblo prehispánico —al lado del pueblo nuevo— yacen con su carga de misterio y de energía acumulada a través de los siglos participando de aquella historia de destrucciones cíclicas: el pueblo viejo y sus habitantes desaparecieron un día de repente, sin dejar más rastros que los encontrados. Para algunos, el pueblo se destruyó por el "veluvio", muriendo todos sus habitantes. Para otros, la causa fue un terremoto. Otras versiones hablan del fuego celeste o la lluvia de fuego que vino del Sol.

Los resistentes del Chaco

La región del Chaco nuclea hoy a la mayor cantidad de etnias del país (8), que ocupan las provincias de Santa Fe, Chaco, Formosa, Salta y Jujuy: son los tobas, mocovíes, matacos, pilagás, chorotes, chulupíes, chiriguanos y chanés que en número aproximado a los 90.000 subsisten con sus formas de vida originarias.

Los "frentones" o Kom'lek

Los *tobas* (del guaraní: "frente", y asociada esta denominación a la de "frentones" conferida por los españoles por la costumbre de los guaikurúes de raparse la frente ante la muerte de un familiar) o Kom'lek, ocupan la provincia del Chaco y en menor medida Formosa y Salta. Son alrededor de 50.000, asentados en comunidades sobre tierras fiscales, pertenecientes a algunas misiones religiosas y "barrios" en la periferia de los centros urbanos (ejemplo, el barrio toba de Resistencia).

Los asentados en comunidades rurales continúan con las prácticas tradicionales de caza, recolección, pesca y agricultura (algodón, maíz, porotos, mandioca); todos son peones de ingenio, obrajes o aserraderos y cosechadores de algodón. Las artesanías tradicionales (cerámica, cestería y tejidos) constituyen una pequeña fuente de ingresos.

La infraestructura sanitaria es prácticamente nula, agravada por la falta de médicos informados sobre las peculiaridades de la cultura indígena, lo que provoca continuos choques y fricciones. Hay mucha tuberculosis y enfermedades gastrointestinales. En Formosa, se calculaba que hacia 1983 un 45% de la población aborigen (de la cual los tobas son un 30%) se encontraba afectada de tuberculosis pulmonar y un 35% de sífilis o venéreas. También hay mal de Chagas, parasitosis y anemia.

El chamanismo toba, a cargo de los llamados "piogonak", sigue vigente con una fuerte presencia. Los médicos y enfermeros que llegan hasta las comunidades son pocos. En cuanto a la educación escolar, el porcentaje de ausentismo y deserción es elevado Entre las causas principales están las migraciones estacionales, la falta de escuelas bilingües y los programas no adaptados a la realidad indígena.

Mocovíes de Santa Fe y Chaco

Los *mocovíes*, instalados hoy en el norte santafesino, son cerca de ocho mil. Menos de la mitad de ellos mantienen el idioma. Trabajan como peones de obrajes madereros, estancias o quintas, y como cosecheros temporarios. Muchas mujeres son empleadas domésticas. Algunos pocos trabajan en cerámica.

Otros grupos mocovíes se asientan en Chaco, como los de Colonia Matheu, que llegan a las sesenta familias. Además de los trabajos mencionados funcionan en la aldea cuatro ladrillerías que dan un ingreso algo mejor a los pobladores, agobiados por la tuberculosis y el mal de Chagas.

Los que participan de la vida plena (wichí)

Los *matacos* o *wichí* son aproximadamente 25.000 en las provincias de Salta, Formosa y Chaco. Hasta hace poco mantenían casi intacta su cultura pese al paulatino acercamiento "blanco" y mestizo. En las últimas décadas, la acción evangelizadora les ha hecho perder en gran medida la memoria de su cosmovisión. Continúan con sus ancestrales tareas de caza, pesca y recolección. Venden algunos excedentes de la pesca inclusive a comerciantes del lado boliviano que pagan con ropa de origen brasileño.

Cazando para comer. *Misión chaqueña (Wichí), Salta. Foto de Patrick Liotta, 1993.*

La mejor época tanto en el Pilcomayo como en el Bermejo va desde abril hasta agosto o septiembre, cuando empieza la bajante de las aguas y con ella el drama de la alimentación para las comunidades de la costa, que basan su dieta en la carne de pescado.

Pero en temporada, los matacos disfrutan entrando en las aguas con sus redes tijeras, sin temor de las palometas (pirañas) que les dejan huellas de sus dientes en las piernas. Muchas veces pescan de noche, "con el favor de la luna".

Son también peones de desmonte y obrajes madereros y desarrollan algunas actividades agrícolas en relación de dependencia, completando el cuadro algunos conchabos en ingenios azucareros, algodonales o changas.

De sus artesanías se destacan las tallas en madera dura (palo santo), los tejidos con fibras vegetales silvestres y la rústica alfarería. Según el Primer Censo Aborigen Provincial de Salta (1983), la vigencia del sistema de jefatura o cacicazgo y el Consejo de Ancianos se mantiene en la totalidad de las comunidades.

Se estima que sobre un total de 17.785 habitantes de origen mataco-mataguayo el analfabetismo asciende al 39,54%. Las causas: falta de escuelas; carencia de elementos como ropas y útiles; escuelas muy distantes; traslado del grupo familiar en forma definitiva; traslado temporal del grupo familiar por razones laborales; matrimonio; situaciones conflictivas con los docentes; situaciones conflictivas con los compañeros de estudio.

Las enfermedades habituales en las comunidades indígenas (tuberculosis, desnutrición, chagas, venéreas, brucelosis) hacen estragos entre ellos por una dieta alimenticia descompensada, basada en el maíz, el zapallo, carne de cabríos y pescado, fruta y casi nada de verdura.

Desde hace algunos años, algunos wichís trabajan como enfermeros y agentes sanitarios entre sus hermanos y aun entre los criollos. Para los matacos, como para el conjunto de las comunidades indígenas, lo importante es que el resto de la sociedad los considere personas y como tales los reconozca y los entienda: "Nosotros somo' hermano… todos somos lo mismo, tenemo' el mismo color de sangre… Todos somos mismo'… Nosotros también somos personas".

Chorotes, chulupíes y pilagás

Los chorotes (*Yojbajwa*, "de la paloma"), chulupíes (*Nivakle*, "también hombres") y pilagás son un total aproximado de 2.200 a 3.500 individuos, distribuidos en algo más de mil chorotes y chulupíes sobre el Pilcomayo y en los alrededores de Tartagal en Salta, y unos mil doscientos a dos mil quinientos pilagá en el centro-norte de la provincia de Formosa.

Todos practican la caza, la pesca y la recolección y elaboran artesanías.

Los hombres-tigre

Los chiriguanos (*Ava*, "hombre") son las comunidades líderes de la región chaco-salteña, por su sólida organización socioeconómica y su fuerte identidad cultural. Todavía persiste en muchos de ellos el recuerdo de haber sido en un tiempo no muy lejano los hombres-tigre, los temibles guerreros de la selva.

Se asientan en las provincias de Salta y Jujuy, en número superior a los 20.000. Ocupan tierras fiscales y de órdenes religiosas; trabajan en los ingenios azucareros y quintas; también en los "cercos" (cultivos) familiares de los cuales obtienen excedentes que comercializan en las ciudades cercanas a las comunidades. Siembran maíz, porotos, zapallo, caña de azúcar, frutales y mandioca.

Mantienen sus pautas de cazadores (corzuelas, pumas), de pescadores y de artesanos de cerámica y máscaras. La alfabetización entre ellos es alta; mantienen sus pautas tradicionales como el rol de los ancianos, el chamanismo, las fiestas ancestrales o el cacicazgo. Lamentablemente, su situación sanitaria es precaria; los afectan sobre todo la tuberculosis, la diarrea estival y la desnutrición.

La cuña guaranítica de Misiones

Los llamados *cainguá* —de origen *mbyá*— no tienen la propiedad de la tierra, que ocupan desde 1870 cuando ingresaron en nuestro territorio. Cultivan mandioca, zapallo, maíz, porotos y frutales; el hombre realiza el desmonte por el sistema de rozado (quema) de origen amazónico, mientras que las mujeres siembran, plantan y cuidan los cultivos.

Se distinguen tres grupos principales: los agricultores sedentarios y artesanos de cestería; los agricultores con cierto nomadismo y los grupos nómades, cazadores y con escasa agricultura.

Estos guaraníes también son recolectores de miel, yerba y frutas silvestres, además de fibras y maderas para artesanías. Crían algunas aves de corral y porcinos.

Se estima que son cerca de cinco mil.

Sobrevivientes en el Sur

Los tehuelches son hoy un puñado. Los informes oficiales de 1983 consignaban como sitios de asentamiento principales a Cerro Índice (cinco familias en 1967); Departamento Río Chico (lote 6 y 28) y la reserva de Camasú-Aike de Santa Cruz, con cinco familias de 37 individuos en total.

El grupo originario descendiente de indios tehuelches ha sufrido el constante mestizaje con chilenos y criollos y en los últimos años se ha venido produciendo una disminución demográfica constante.

Siguen practicando la caza de algunos animales; los hombres son peones rurales y las mujeres no tienen actividad fija.

Los problemas más graves en salud son la desnutrición, la tuberculosis y el alcoholismo.

Las causas de su desorganización sociocultural son: primero, la llegada al grupo originario de individuos extraños, con pautas culturales distintas; segundo, la extinción de los mayores, y la desaparición consiguiente del lenguaje y las tradiciones; y tercero, la migración en busca de nuevas fuentes de trabajo.

Danza del ñandú en el nguillatum. Comunidad mapuche de Anecón Grande. Río Negro. Foto de Patrick Liotta, 1993.

La gente de la tierra

Los mapuches son alrededor de cincuenta mil, con porcentajes significativos sobre el total de población en algunas provincias como Río Negro, Chubut (5%) y Neuquén (7 a 10%). Cerca de la mitad de ellos conserva el idioma nativo.

Ocupantes de tierras fiscales, se dedican principalmente a la cría de ovejas y chivas, ocasionalmente vacas; cultivan trigo, avena y cebada según las posibilidades de las tierras; en algunas comunidades es importante la recolección de piñones o fruto del pehuén. Las mujeres continúan la tradición ancestral del tejido, artesanía que se destaca en el cuadro general de las industrias aborígenes del país.

Gran cantidad de mapuches se emplean como mano de obra transitoria en la esquila, la cosecha de frutales y otras actividades ganaderas y agrícolas.

Mortalidad infantil, tuberculosis y avitaminosis son enfermedades comunes entre ellos. Situaciones relativamente buenas, como la de la comunidad de los descendientes del cacique Coliqueo en Los Toldos, provincia de Buenos Aires, son excepcionales.

LA ESTABILIDAD DEMOCRÁTICA

La nueva etapa democrática que se inició en 1983 trajo muchos cambios, positivos y negativos, vinculados con la situación indígena. Hay señales de una creciente movilización y participación de los indígenas; el avance en el campo de la justicia social y los derechos humanos harán el resto.

Indios en la gran ciudad

El empobrecimiento de las zonas rurales y la industrialización de las ciudades provocó la migración de grandes masas humanas desde el campo a las ciudades. Como ya hemos visto, este proceso de migraciones internas fue protagonizado en su inmensa mayoría por el nuevo componente poblacional de la Argentina, el "cabecita negra".

Con el paso del tiempo, amplios sectores de los grupos indígenas fueron "bajando" a las ciudades en busca de los medios de vida que se les negaban en sus lugares de origen.

Vendedores de café en los estadios de fútbol, basureros, obreros de la construcción, peones de changas, cartoneros, los indios en la ciudad ocupan en general los estratos socioeconómicos más bajos.

Grupos de tobas se han reunido desde no hace mucho tiempo en las inmediaciones del Gran Rosario (Villa

Primeras Jornadas Indígenas en la Ciudad. Equipo organizador integrado por representantes tobas, mapuches, wichís, diaguito-calchaquíes, collas y chiriguanos. Buenos Aires, 1995.
Foto de Ana María Llamazares.

Banana); en el Gran Buenos Aires los encontramos en el barrio Las Malvinas —cerca de La Plata—; barrio ex IAPI (Bernal); barrio La Fe (Monte Chingolo); Ciudad Oculta (Mataderos) y en Derqui, recientemente mudados desde Fuerte Apache (Ciudadela); también hay grupos en Burzaco (partido de Almirante Brown) en donde se ocupan en quintas y viveros de inmigrantes japoneses, y en Ingeniero Budge (partido de Lomas de Zamora). Descendientes de chiriguanos viven en el barrio La Malena (González Catán).

Pero no son los únicos indígenas en Buenos Aires y sus suburbios: según datos existentes (enero de 1988) en la Subsecretaría de Acción Social de la Municipalidad de la Ciudad de Buenos Aires, un total de 24 familias aborígenes viven en las Villas 1, 11 y 14 del Bajo Flores.

Se los encuentra también en familias aisladas, como los descendientes del cacique ranquel Epumer o los del cacique mapuche-tehuelche Pincén.

También hay muchísimos de ellos solos.

La vigencia de la cosmovisión

Viviendo en sus comunidades o en la ciudad, los indígenas tienen una cosmovisión propia que forma parte de la cultura de los argentinos.

Algunos de los elementos de esa cosmovisión son los siguientes:

- *la forma de vida integral*, expresada en una cotidianeidad que se repite desde hace siglos, casi sin variantes en las comunidades hoy existentes; esas comunidades preservan valores como la relación armónica y profunda entre el hombre y la naturaleza, o el sentido de solidaridad, que debería servir de ejemplo para la sociedad desquiciada de nuestros días.

- *la economía tradicional*, como los "cercos" chiriguanos, los pastoreos y cultivos de los collas, la pesca entre pilagás, matacos o chorotes, más las artesanías que se han desarrollado como industrias populares en casi todos los grupos;
- *los patrones de asentamiento* que respetan viejas tradiciones relacionadas con la constitución de las familias, los campos de cultivos comunitarios, los individuales, los ámbitos para las fiestas y para los muertos;
- *la relación con lo sagrado*, manifestada en expresiones como el culto a la Pachamama entre los collas, el Nguillatún de los mapuches, la presencia de los "señores de los animales" entre matacos, tobas y otros; la vigencia de los dioses en las prácticas de todos los chamanes; el papel de los sueños como reveladores para la comunidad; los mitos ancestrales y un sinnúmero de creencias populares desparramadas por todo el país, muchas de ellas de raíz indígena.
- *la medicina tradicional "de campo" o cura chamánica* que se practica en todas las comunidades de acuerdo con las milenarias técnicas de éxtasis conocidas universalmente;
- *el mantenimiento de estructuras de poder tradicionales* como los caciques o los consejeros, papel adjudicado este último a los ancianos;
- *la supervivencia de las lenguas madres*, desde "los idiomas" que mantienen los viejos que desconocen el castellano, en cada una de las comunidades, hasta las lenguas quichua (noroeste y Santiago del Estero), guaraní (litoral) y mapuche (sur) habladas por miles, incluso no indígenas. Por otro lado existen en todo el país muchísimos nombres de lugares (toponimia) indígenas, (entre ellos los nombres de algunas provincias: Neuquén, Chaco, Jujuy), y además hay gran cantidad de palabras indígenas que hemos in-

corporado a nuestra habla cotidiana, por ejemplo "cancha".

La vigencia de la cosmovisión indígena es un hecho, y confirma nuestra idea de la Argentina como un país pluricultural y multiétnico.

Las organizaciones indias

En la Argentina la presencia de las organizaciones indígenas es un fenómeno relativamente nuevo.

Sería imposible nombrarlas a todas, pero podemos destacar a la AIRA (Asociación Indígena de la República Argentina); el Centro Kolla; CEPNA (Comunidad de Estudiantes de las Primeras Naciones de América); Instituto de Cultura Indígena (Jujuy); Centro Mapuche (Neuquén), entre muchas otras.

Algunos temas importantes que llevan adelante estas instituciones son: la restitución de la tierra; la educación; la integración; la relación con la naturaleza; la recuperación histórica y cultural; el respeto por su propia organización; la cosmovisión; la salud; el trabajo.

La consolidación de las organizaciones, la aparición de otras nuevas tanto a nivel nacional como provincial, el recambio generacional de dirigentes y seguramente un proceso de unidad entre todas estas asociaciones, serán factores clave para el futuro de la población india de nuestro país.

HACIA UNA NUEVA POLÍTICA EN LA ARGENTINA

Principales antecedentes

Las políticas llevadas a cabo por el Estado en nuestro país se inscriben en lo que se conoce tradicionalmente como "indigenismo". Esta perspectiva *en ningún momento cuestionó el sistema político-social vigente* y por otro lado, nunca dejó de ser *paternalista*, considerando al indio como imposibilitado de desarrollarse por sí mismo —un ser inferior— y con la necesidad de incorporarse como "ciudadano de segunda" a la sociedad que lo domina.

Poco a poco —y especialmente a partir de la década del 80— tanto el Estado como la sociedad van transitando el camino de la conciencia multiétnica y pluricultural, es decir la idea de ser un país integrado por gente diferente y en el caso de los indígenas, destacando sus derechos y la histórica lucha por sus reivindicaciones.

Las leyes de la democracia

Algunas leyes recientes, nacionales y provinciales, muestran una toma de conciencia por parte del Estado de la necesidad de ir dando respuestas a los reclamos indígenas a través de políticas más efectivas.

La *ley 23.302 sobre política indígena y apoyo a las comunidades aborígenes* (1984) si bien no satisface del todo las aspiraciones indias, marca avances importantes en la cuestión: reconoce personería jurídica a las comunidades indígenas radicadas en el país; crea el Instituto Nacional de Asuntos Indígenas (INAI) como entidad descentralizada con participación indígena; establece un programa de adjudicación de tierras; prevé planes educativos "que deberán resguardar y revalorizar la identidad histórico-cultural de cada comunidad aborigen, asegurando al mismo tiempo su integración igualitaria en la sociedad nacional", procurando el respeto por las lenguas maternas a través de la enseñanza bilingüe; anuncia la creación de unidades sanitarias móviles para la atención de las comunidades dispersas, y la integración de la medicina tradicional indígena a los programas nacionales de salud.

La *ley 2.435 de la provincia de Misiones* (1987) estipula que *la provincia "reconoce la existencia institucional del Pueblo Guaraní radicado en su territorio"*... "Los indios y Pueblo Guaraní son parte integrante de la nación Argentina y gozan de los mismos derechos y tienen las mismas obligaciones que cualquiera de sus habitantes".

La ley integral del aborigen 426, de la provincia de Formosa (1987) establece *"el respeto por los modos de organización tradicional" de las comunidades*, a la vez que reconoce la existencia legal de éstas otorgándoles personería jurídica. Contempla el acceso de las comunidades a un régimen jurídico que les garantice la propiedad de la tierra.

Una disposición semejante, *la ley 6.373, se sanciona en Salta* (1987), provincia que un año antes publicaba en el Boletín Oficial Nº 12.484 la inclusión de un apartado especial en la Constitución Provincial dedicado a los aborígenes y su integración a la vida nacional y provincial (art. 15).

La *ley 3258 del Chaco* (1987) y *la ley 2287 de Río Negro* (1988) son instrumentos legales similares, que también incluyen la creación de Institutos Provinciales con participación de representantes indígenas.

La nueva Constitución Nacional de 1994

La nueva Constitución Nacional sancionada en Santa Fe en 1994 reemplazó el anacrónico artículo 67 inciso 15 de la Constitución de 1853 por el artículo 75 inciso 17

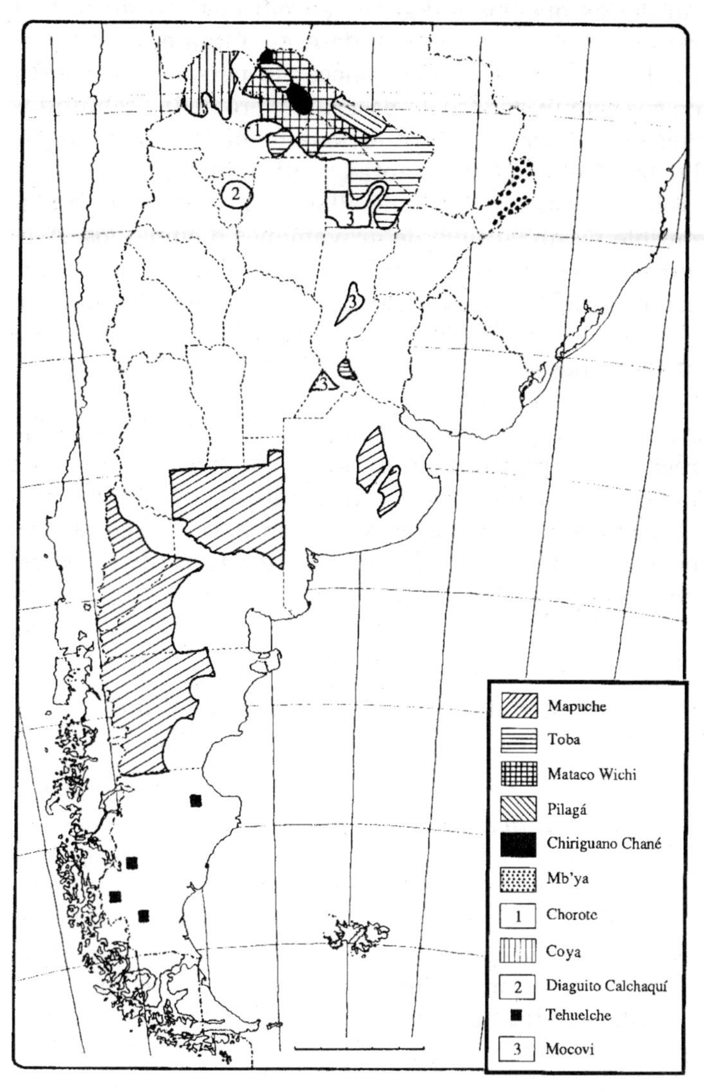

Las comunidades indígenas argentinas actuales.

que dispone: "Reconocer la preexistencia étnica y cultural de los pueblos indígenas argentinos. Garantizar el respeto a su identidad y el derecho a una educación bilingüe e intercultural; reconocer la personería jurídica de sus comunidades y la posesión y propiedad comunitarias de las tierras que tradicionalmente ocupan; y regular la entrega de otras aptas y suficientes para el desarrollo humano; ninguna de ellas será enajenable, transmitible ni susceptible de gravámenes o embargos. Asegurar su participación en la gestión referida a sus recursos naturales y a los demás intereses que los afecten. Las provincias pueden ejercer concurrentemente estas atribuciones".

Lo más importante de este artículo es el reconocimiento de la preexistencia de los pueblos indios y su derecho a la propiedad de la tierra. Fue posible gracias a la decisión de algunos constituyentes, que contaron con el apoyo de organizaciones indígenas, ONGS (Organizaciones no gubernamentales) y el aporte de diversos especialistas.

Otras señales de esperanza en la cuestión indígena

El *decreto 4811/97 de Personería Jurídica de las Comunidades Indígenas*, más allá de ser un texto discutible, promueve la restitución de las tierras a los indígenas.

Es importante consignar también que durante los últimos años se han puesto en práctica *experiencias educativas bilingües*, como expresión de un creciente respeto y revalorización de las lenguas autóctonas.

Otros indicadores del cambio ideológico de esta última etapa son:

- La *presencia más activa de las organizaciones indias*, buscando un lugar más amplio y más sólido en el conjunto de la sociedad y sus estructuras intermedias.

- La *creciente difusión de la problemática aborigen* en todos los medios de comunicación que pone de manifiesto, y en algunos casos denuncia, la realidad de este sector social frente al resto de la sociedad.

- La *participación de indígenas en cargos de gobierno*, como la dirección de los institutos provinciales ya mencionados, o los Parlamentos provinciales en calidad de diputados, o los Consejos Deliberantes locales.

- La progresiva incidencia de la temática entre las ONGS.

- El *inicio de una conciencia colectiva en los argentinos respecto de la pluralidad de su conformación como sociedad*. Creo que este aspecto es el decisivo. Ninguna ley, por buena que sea, o ningún organismo, por mejor pensado que esté, darán resultado si no están movidos por un espíritu claramente democrático. El propósito debe ser poner en pie de igualdad a todos los integrantes de la sociedad sin excepciones.

Poco a poco va ganando terreno la idea de que las comunidades indígenas deben conservar su identidad y autonomía, reactualizando su protagonismo histórico y teniendo en cuenta su vinculación armónica con el conjunto de la sociedad nacional. Un paso legal importante sería que la Argentina no demorara más la ratificación del Convenio 169 de la Conferencia Internacional del Trabajo que reconoce a las poblaciones indígenas como "pueblos".

NUESTRA PROPUESTA ACERCA DE LA POLÍTICA A SEGUIR CON LAS COMUNIDADES INDÍGENAS

En los últimos años la Argentina se debate en una profunda crisis. Una vez más, nuestras comunidades aborígenes son parte de la situación general, y como el panorama no es bueno, el desafío que enfrentan es mayor. Pero vivir en una sociedad democrática hace que las iniciativas, los intentos y las propuestas se multipliquen en un ambiente de libertad en el que todo puede ser tomado en cuenta.

Nuestra propuesta acerca de la política a seguir con las comunidades indígenas se basa en tres puntos principales: primero, un conjunto de principios que deberían ser tenidos en cuenta por los distintos actores sociales; segundo, un modelo de administración desde el Estado, y tercero, el protagonismo de las propias comunidades aborígenes.

Principios

Creemos que hay un conjunto de principios que deberían ser practicados por nuestra sociedad y no meramente declamados. Y sabemos que mientras estos principios no se hagan carne en los argentinos, será muy difícil la tarea de inserción digna e igualitaria de los hermanos indígenas. Estos principios son los siguientes:

- *La dignificación y el respeto por los otros*. El racismo encubierto y no encubierto y la discriminación que se siguen ejerciendo en nuestro país deberían enfrentarse con actitudes que demuestren que la Argentina es multiétnica y pluricultural. Debería admitirse que existen distintos sectores, cada uno de los cuales está integrado por personas con pleno derecho.

- *La reafirmación de la propia identidad.* Es el complemento del principio anterior; respetar al otro significa, entre otras cosas, exigir respeto para uno mismo y sus propias diferencias.

- *La eliminación del paternalismo.* El paternalismo sigue presente respecto de los indígenas, a quienes se considera "gente ignorante" que debe ser "dirigida". Es imprescindible eliminar esta visión equivocada y en muchos casos malintencionada.

- *El indígena como compatriota.* Debe considerarse al indio con los mismos derechos y deberes que cualquier otro ciudadano, sin que por ello pierda su identidad cultural específica.

- *La cultura indígena como expresión de la cultura nacional y como lazo de unión con los países hermanos.* La cultura de la Argentina se nutre de distintos aportes y los indígenas constituyen uno de ellos. A su vez, por su tradición común y su particular ubicación geográfica, las comunidades indias son un vehículo de integración con pueblos hermanos de países limítrofes y/o de la región.

Modelo

Crear un nuevo modelo de administración es fundamental en el asunto que nos ocupa. A lo largo de la "historia administrativa" de nuestro país, el ámbito responsable de la cuestión indígena fue pasando por distintas alternativas.

Hoy se hace necesario contar con *un organismo que conduzca las políticas implementadas desde el Estado.* Ese organismo, ubicado al más alto nivel posible debería ser el encargado de una planificación central, complementando su acción con las provincias.

Dicho organismo podría ser muy bien el Instituto Nacional de Asuntos Indígenas que existe hoy según la ley 23.302 o cualquier otro. No importa demasiado su estructura administrativa, sino su poder real. Para realizar la tarea debería partir de los cinco principios enunciados anteriormente.

A su vez debería crearse un *sistema administrativo para lo indígena* que permitiera una acción conjunta, mucho más efectiva que las acciones aisladas. Este sistema serviría para concentrar toda la información sobre el tema, y coordinar una *una red de intercambio* (información y cooperación) entre todas las instituciones que se ocupan de las comunidades indígenas argentinas.

En cuanto a las políticas a implementar desde este sistema, podemos mencionar las siguientes:

- *Devolución inmediata de las tierras.* Si bien es cierto que en los últimos años se ha avanzado en este punto, el problema de la tierra sigue existiendo: en su gran mayoría, las comunidades viven en la incertidumbre que les provoca no ser propietarios del suelo que pisan.
  Propongo que una vez reunidos los antecedentes de reclamos de tierras, y con el amparo jurídico de la ley 23.302 y de la nueva Constitución Nacional de 1994, desde el más alto nivel del Estado se envíe un proyecto de ley al Parlamento para la inmediata adjudicación de las tierras a las comunidades instituyendo la "Jornada Nacional de Devolución de las tierras a los hermanos indígenas".

- *Implementación de planes de salud* con el objetivo de erradicar las enfermedades que destruyen a las comunidades indígenas y les impiden su desarrollo. Desde el punto de vista cultural, dichos planes deberán ser compatibilizados con la medicina indígena, que tiene plena vigencia en nuestros días.

- *Creación de fuentes de trabajo en las regiones indígenas*. Es urgente dar posibilidades de trabajo en las áreas indígenas, desarrollando las fuentes de trabajo ya existentes y alentando la autogestión y las tecnologías apropiadas, es decir las originadas en las propias comunidades indígenas, que responden a sus patrones históricos y se adaptan a sus medios ecológicos.

- *Adecuación del sistema educativo* en todos los niveles y jurisdicciones, no sólo en las comunidades sino en la estructura educativa de todo el país.
  En las comunidades porque es preciso adaptar los planes de estudio a la realidad indígena local y si fuera necesario implementar la enseñanza bilingüe, como ya se hace en muchos lugares, evitando la deculturación de los niños indios. Para ello se hace necesaria la creación de muchas más escuelas con infraestructura adecuada y con maestros que tengan el incentivo —además de su misión docente— de salarios dignos.
  En cuanto al resto de la estructura educativa del país, pensamos que merece una especial atención: la enseñanza que hoy se imparte en el tema indígena es mínima y en el mejor de los casos fragmentaria, limitada a brevísimas referencias acerca de la situación previa a la llegada de los conquistadores españoles, y después de un extenso salto en el tiempo, las campañas de Roca en el sur y de Victorica en el Chaco.
  Es importante entonces cambiar la orientación de la enseñanza, para ayudar a formar la conciencia crítica de las nuevas generaciones de argentinos y fomentar la discusión de la realidad histórica del país.

En este marco proponemos el tratamiento del tema de las comunidades indígenas, en sí mismas y en el proceso de conformación cultural del país.

- *Difusión de la situación de las comunidades indígenas y de los valores de su cultura.* En la Argentina la gran mayoría de la población no sólo desconoce la historia de los indígenas sino su situación actual. No se tiene idea de cuántos son ni de su peculiar forma de vida, ni mucho menos de su lugar en el conjunto de la cultura del país.
  El Estado podría coordinar una gran campaña de difusión que contara con el apoyo de las distintas organizaciones indias y no indias.

- *Realización de un nuevo censo de población indígena.* Un nuevo Censo nos permitirá llegar a conclusiones más precisas en todos los campos; por lo pronto, podríamos actualizar con justeza la cantidad cierta de pobladores indios de la Argentina.

- *Consolidar la nueva posición de las comunidades indígenas en el seno de la sociedad argentina a través de un "corpus" de leyes* que las defienda de eventuales agresiones y les permita dar base jurídica a su desarrollo pleno como personas y ciudadanos.

Protagonismo

El protagonismo total de las comunidades aborígenes dependerá no sólo del gobierno sino de la actitud de la sociedad y por supuesto de los propios indígenas.

Ellos mismos deben hacer el camino de la participación igualitaria. En este camino los dirigentes indios tienen un papel preponderante, y mucho más las organizaciones y comunidades en la medida en que lleguen

Inocencio Nicasio Pincén, bisnieto del cacique, con su hijo Luis Eduardo, en la casa donde estuvo preso su antepasado. Isla Martín García, 1998. Foto del autor.

a tener el poder y el prestigio que permitan a los hermanos indios alcanzar un nivel de vida acorde con los derechos y deberes de cualquier habitante de esta parte del mundo.

Este protagonismo también debe manifestarse en la unidad del movimiento indígena, así como en los cargos públicos ocupados por aborígenes; ya los hay, en algunos institutos provinciales, y se ha sugerido que el INAI sea encabezado por un dirigente indio.

Pero creemos que los indígenas deberían trascender estos caminos, yendo más allá, proponiendo como ya ocurre en otros países, el reconocimiento por ejemplo de su propia medicina tradicional, movimiento que sería apoyado por otros sectores de la sociedad, que trabajan en la convergencia y complementariedad de los conocimientos.

EPÍLOGO

Soy consciente de que nuestra situación es hoy crítica, y que nuestra condición de país dependiente y empobrecido empeora las posibilidades de los hermanos indígenas. Me duele reconocer que no imagino el futuro. Ni siquiera sé qué será de cada uno de nosotros. Tengo ante mí una enorme incertidumbre.

Sin embargo, los que creemos que es posible alcanzar un mundo más justo, los que sentimos que la vida es una tarea incesante por crear cada día algo más de bienestar para todos los hombres, sin excepción, nos vemos comprometidos a persistir en el camino, sin bajar los brazos, a pesar de todos los obstáculos.

Por eso hice ahora este libro dedicado a los chicos, porque creo totalmente en ellos. Porque creo que en las nuevas generaciones de argentinos está el secreto de una sociedad mejor. Una sociedad que recupere valores perdidos y que los indios conocen muy bien: el respeto por la naturaleza, el sentido comunitario de la vida, y lo sagrado de cada acto de la existencia.

Buenos Aires, 28 de diciembre de 1997.

Epílogo

[illegible] ha [illegible] [illegible] [illegible] [illegible] de [illegible] y en [illegible] [illegible] utilidades de los hombres [illegible] mas [illegible] que no [illegible]. Ni [illegible] de cada uno [illegible]. Tanto así [illegible].

[illegible] [illegible] [illegible] [illegible] [illegible] [illegible] [illegible] [illegible] [illegible] [illegible] [illegible] [illegible], de [illegible] [illegible] [illegible] [illegible] [illegible] [illegible] [illegible] [illegible] [illegible] [illegible].

Por eso hoy [illegible] ahora este libro dedicado a los niños [illegible] porque [illegible] en ellos [illegible] que [illegible] nuevas generaciones [illegible] [illegible] de [illegible] sociedad mejor [illegible] [illegible] [illegible] y que los indios, [illegible] bien el [illegible] por la naturaleza, el [illegible] de la tierra, y lo sagrado de cada uno de la [illegible].

Buenos Aires, 21 de diciembre de 19[illegible]

AGRADECIMIENTOS

A mi compañera Ana, por el apoyo invalorable a este proyecto, como a todos aquellos que emprendo.

A mi hijo Lucas, por inspirarme y también por sus ideas de siempre.

A las comunidades indígenas de Anekón Grande (mapuches, Río Negro); Misión Chaqueña (wichí, Salta); La Pelolé (tobas, Chaco); Marangatú (mbyá-guaraníes, Misiones).

A todo el equipo de la Fundación Desde América, especialmente a Vilma Díaz y Zárate, Luis Eduardo Pincén, Mariana Roth, Mariana Lorenzetti y Juliana Consigli.

A los paisanos Inocencio Nicasio Pincén e Ignacio Prafil.

Al equipo organizador de las Primeras Jornadas Indígenas en la Ciudad y a todos los paisanos allí participantes (Buenos Aires, 1995).

A mi colega y amigo Gustavo G. Politis, por su disposición permanente.

A mi colega Catalina Saugy que me dio el impulso para emprender este trabajo.

A César Aira, por su impecable tarea de ayudarme a adaptar el lenguaje del manuscrito para los chicos.

A mis hermanas Haydée y Susana por ayudarme con la actualización de la información periodística.

A los fotógrafos y amigos Patrick Liotta y Oscar Elías.

Al embajador Juan Archibaldo Lanús, por facilitarme algunas fotos de su colección.

Al Archivo General de la Nación por abrirme gentilmente las puertas de sus colecciones

Y a mi editor, Bonifacio P. del Carril, por contribuir como siempre a la imprescindible tarea de difundir la temática de los indígenas en la Argentina.

ALGUNAS OTRAS LECTURAS SOBRE EL TEMA

No es mi intención hacer aquí una bibliografía. Sin embargo me parece interesante mencionar algunos títulos que considero importantes para completar la información sobre los indígenas de nuestro país: lamentablemente para chicos hay muy poco material, pero quiero destacar la colección editada por Libros del Quirquincho (Bs. As.), y escrita por Miguel Angel Palermo. Me refiero a *El verdadero nombre de los Onas: los Selknam* (1991); *Los indios de la Pampa* (1991); *Los Yamanas* (1991); *Los Guaraníes* (1991), en colaboración con Roxana Edith Boixados; *Los jinetes del Chaco* (1993) y *Los Diaguitas* (1993), este último también con la coautoría de Boixados.

Recientemente, Miguel Angel Palermo ha publicado *Diaguitas*, el primer volumen de la colección Gente Americana (AZ Editora, Bs. As., 1998).

En cuanto a los otros trabajos, ya para adultos, pero que los chicos pueden llegar a manejar como obras de consulta cabe mencionar a *Los selk'nam* de Anne Chapman (Emecé Editores, Bs. As., 1986); *Los aborígenes de la Argentina* de Guillermo E. Magrassi (Búsqueda-Yuchán, Bs. As, 1987); *Los indios de Argentina* de Isabel

Hernández (Mapfre, Madrid, 1992); *La tierra que nos quitaron* de Morita Carrasco y Claudia Briones (IWGIA, Bs. As., 1996) y *Nuestros paisanos los indios*, de mi autoría (Emecé Editores, Bs. As, 1992).

ÍNDICE